CW01024475

CERDDI BARDD Y WERIN

Detholiad o farddoniaeth Crwys

Golygwyd gan T. Llew Jones

Argraffiad cyntaf—Mai 1953
Argraffiad newydd—1994

ISBN 1 85902 147 6

Dymuna'r cyhoeddwyr gydnabod cymorth
Adrannau'r Cyngor Llyfrau Cymraeg.

Argraffwyd gan
J. D. Lewis a'i Feibion Cyf., Gwasg Gomer, Llandysul

RHAGAIR

Fe fyddwn yn dathlu ambell achlysur pwysig trwy agor potel o hen win go arbennig. Dyna a wnaeth Gwasg Gomer wrth ddwyn allan y detholiad newydd hwn o gerddi'r diweddar brifardd Crwys. A gwn y bydd llawer yn dal—ar ôl darllen yr hen ffefrynnau yn y casgliad hwn—'Melin Tre-fîn', 'Dysgub y Dail', 'Caethglud yr Ebol', 'Y Border Bach' a'r lleill—mai'r hen win yw'r gwin gorau o hyd!

Ganed William Crwys Williams yng Nghraig-cefn-parc ym 1875 a bu farw yn Abertawe ym 1968, wedi bod yn weinidog gyda'r Annibynwyr am y rhan helaethaf o'i oes. Enillodd Goron yr Eisteddfod Genedlaethol deirgwaith a bu'n Archdderwydd o 1939 i 1947.

Ond nid ei orchestion eisteddfodol a'i gwnaeth yn un o feirdd enwoca'i ddydd, ond y cerddi a'r telynegion hyfryd a luniodd yn achlysurol yn ystod ei oes faith. Yn ei ddydd a'i gyfnod, sef yn y blynyddoedd cyn yr Ail Ryfel Byd, ef oedd, efallai, y bardd mwyaf adnabyddus a phoblogaidd yng Nghymru gyfan. Fe werthodd cyfrolau o'i gerddi wrth y miloedd ac nid âi'r un steddfod, cyngerdd na noson lawen heibio na cheid adrodd a chanu darnau o waith Crwys ynddynt. Hefyd fe fyddai llu o bobol—nad oeddynt â'u bryd ar gystadlu na chymryd rhan yn gyhoeddus mewn dim—yn trysori ei gerddi ar eu cof, ac fe fyddai pertrwydd y 'syniad' a chyfaredd y 'dweud' yn y cerddi hynny yn cyfoethogi profiad pobl felly, yn hen ac yn ifanc. Mewn ffordd anhygoel bron, fe aeth rhai o gerddi mwyaf adnabyddus Crwys i mewn i ymwybod pobol a glynu yno. Faint o filoedd o 'bererinion' sy' wedi mynnu ymweld â 'Thre-fin ym min y môr', dim ond i gael cip ar yr hen felin a anfarwolwyd ganddo ef?

Bardd y werin oedd Crwys. I'r werin, ac am y werin, y lluniodd ei gerddi, ac mae'n arwyddocaol, mae'n siŵr gen i, mai 'Gwerin Cymru' oedd testun y bryddest yn Eisteddfod Caerfyrddin ym 1911 pan enillodd ef un o'i dair Coron. Gwerinwyr o Graig-cefn-parc oedd ef a'i deulu, ac roedd Crwys yn nabod ei bobol ei hun ac yn eu mawrygu.

Oherwydd hyn oll, roedd hi'n dilyn fod rhaid i'w farddoniaeth ef fod yn syml ac yn ddealladwy ar y darlleniad cyntaf. Oherwydd eu camp a'u crefft yr oeddynt hefyd yn gofiadwy ac yn 'boblogaidd'.

Yn ôl ein beirniaid llenyddol blaenaf, ni all fod llawer o werth parhaol mewn cerddi 'poblogaidd' y gellir eu deall a'u gwerthfawrogi ar un darlleniad. Mae'r farddoniaeth orau, medden nhw, yn gofyn am dipyn o chwysu meddyliol ac o ddyfalbarhad ar ran y darllenydd. Mae'n siŵr fod rhywfaint o wirionedd yn hyn.

Ond pawb at y peth y bo, ddweda' i. Rwy' i am eich cymell chi, am y tro, beth bynnag, i eistedd yn ôl a bod yn ddiog. Mwynhewch yr hen win da o gostrel Crwys. *Go-on*, sbwyliwch eich hunen!

T. Llew Jones

CYNNWYS

MELIN TRE-FIN

Nid yw'r felin heno'n malu
  Yn Nhre-fin ym min y môr,
Trodd y merlyn olaf adref
  Dan ei bwn o drothwy'r ddôr,
Ac mae'r rhod fu gynt yn rhygnu
  Ac yn chwyrnu drwy y fro,
Er pan farw'r hen felinydd
  Wedi rhoi ei holaf dro.

Rhed y ffrwd garedig eto
  Gyda thalcen noeth y tŷ,
Ond ddaw neb i'r fâl â'i farlys,
  A'r hen olwyn fawr ni thry.
Lle dôi gwenith gwyn Llanrhian
  Derfyn haf yn llwythi cras,
Ni cheir mwy ond tres o wymon
  Gydag ambell frwynen las.

Segur faen sy'n gwylio'r fangre
  Yn y curlaw mawr a'r gwynt,
Di-lythyren garreg goffa
  O'r amseroedd difyr gynt,
Ond does yma neb yn malu
  Namyn amser swrth a'r hin,
Wrthi'n chwalu ac yn malu,
  Malu'r felin yn Nhre-fin.

MYNWENT Y CŴN

Yn ymyl Nanteos, rhwng ysgall a drain,
Mae beddau'r cŵn hela fu'n beraidd eu sain,
Nid clychau Llanafan yn nherfyn y plwy',
Na chorn y pencynydd a'u deffry nhw mwy.

Yng ngelltydd yr Hafod a rhedyn y fro,
O Ystwyth i Reidol bu mawr dali-hô,
Ond nid oes na charlam na chrio na chrŵn,
Na chynffon yn ysgwyd ym mynwent y cŵn.

Eu henwau yn unig ar estyll di-lun
A erys i nodi gorweddle pob un,
Ac ar eu tawelwch ni thyr dim ond sŵn
Y llwynog yn cyfarth ym mynwent y cŵn.

DYSGUB Y DAIL

Gwynt yr hydref ruai neithiwr,
  Crynai'r dref i'w sail,
Ac mae'r henwr wrthi'n fore'n
  Sgubo'r dail.

Yn ei blyg uwchben ei sgubell
  Cerdd yn grwm a blin,
Megis deilen grin yn ymlid
  Deilen grin.

Pentwr arall, yna gorffwys
  Ennyd ar yn ail,
Hydref eto, a bydd yntau
  Gyda'r dail.

Y GARREG FILLTIR

Ffordd yr elych i Landeilo
   Tros y mynydd o Gwm Lôn,
Trwch o fwswg ar ei thalcen
   A gwellt y mynydd am ei bôn,
Yno saif hen garreg filltir,
   Llafn un-wyneb garw'i bryd,
'Deuddeg milltir i Landeilo'
   Yw ei stori, dyna i gyd.

Yno roedd pan euthum gynta'n
   Llencyn ysgol ar fy nhaith,
Neb i ddweud fy hiraeth wrtho
   A melysu'r filltir faith,
'Boed dy ofid faint a fynno,
   Boed dy ddagrau rif y gro,
Deuddeg milltir i Landeilo'
   Ebe'r garreg, 'Boed a fo'.

Ddyfnder gaeaf pan na fentro
   Undyn tros y mynydd mawr,
A lluwchfeydd o eira'n gorwedd
   Ar ei hwyneb hithau'n awr,
Gad i'r heulwen unwaith eto
   Olchi grudd y garreg hen,
'Deuddeg milltir i Landeilo'
   Ebe hithau ar ei gwên.

Yma'i rhoddwyd gynt gan rywun
  Nad yw mwy ar dir y byw,
Yma safodd drwy'r blynyddoedd—
  Carreg fedd yr oesoedd yw,
A phan bylo'r bras lythrennau,
  Hithau'n malu, ddarn ar ddarn,
Deuddeg milltir fydd o'r fangre
  I Landeilo hyd y Farn.

SAN MALO

Yn llwyd a hen ar benrhyn tal
   Yn eitha gwerddon Llydaw fras,
A'i muriau'n herio'r môr di-ddal,
Y'i gwelais gyda'r bore glas,

                 San Malo.

Yn hyfryd hen, a'r iorwg ir
Am dŵr ei theml o lofft hyd lawr,
A'r gwylain, hwythau'n rhesi hir
Anghyson oedd ar fagwyr fawr

                 San Malo.

Ei dyfal seiri ers hirfaith dro
Yng ngrodir Llydaw'n ddwfn eu hun,
Heb ddim a geidw'u henw ar go'
Ond cadarn waith eu dwylo'u hun

               —San Malo.

A'r llong a'm dug drachefn i'm bro
Ar flaen y gwynt fel deilen grin,
Gwelais—ai am yr olaf dro?
Yn hardd ei gwedd rhwng gerddi gwin

               —San Malo.

NOSWYL Y TRAMP

Ffarwél i fyd a Betws,
  Ffarwél i wlad a thre,
Rwy'n teithio'r filltir olaf
  Ac yn mynd na wn i b'le,
Ond gwn na'm gwelir mwyach
  Ar drympeg nac ar glos,
Ac na flinaf undyn eto
  Am sgubor gyda'r nos.

Rown i wedi addo cwrddyd
  Â Deio Siâms, Llan-giwc,
A dawnsio gyda'r ffidil
  Yng nghegin gefn y Diwc,
Heb feddwl fawr bryd hynny
  Mai yma'n awr y bawn
Yn pwyso 'mhen i farw
  Ar hen obennydd mawn.

Un ffafr wy'n ei cheisio,
  Sef rhoi fy nghorff i lawr
Gerllaw'r hen garreg filltir
  Ar fin y drympeg fawr,
Lle clywyf f'hen gyfeillion
  Yn mynd a dod o'u hynt,
Ac ambell donc ar faled
  A ganwn innau gynt.

Ffarwél i ffordd y brenin
    A'r gollen driw'n fy llaw,
Caf gysgu'n dawel heno
    Yn sŵn y gwynt a'r glaw,
A phwy a dyr y newydd
    I Deio Siâms, Llan-giwc,
Sy'n awr yn tiwnio'i ffidil
    Yng nghegin gefn y Diwc?

Y TÂN MAWR

Â'm hwyneb neithiwr tua Phenfro fwyn
Ni welwn onid gwenfflam fawr o dân
O'r gwyrdd oleddau hyd y traethau mân,
Awr hwyrol aberth oedd o don i dwyn;
Carn Ingli a Phreseli yn y fflam
Megis efeilliaid o ferthyron mud,
A'r diadelloedd yn ymdeithio 'nghyd
I'w hysu yn offrymau byw, dinam.

A'r aberth trosodd, cyrchu ar fy nhaith,
Ond nid oedd ddeilen wedi crino ddim,
Na gwrid y fflam ar unrhyw adain chwim,
Na niwed ar yr ydlan gras ychwaith.

Tanbeitiach, harddach fil nag enfys Noe
Yr haul yn mynd i lawr dros Benfro ddoe.

Y MYGYN OLAF

Rhyw lyfyr mawr agored oedd bywyd Shôn y Crydd,
A chroeso i bawb ei ddarllen wrth lawn oleuni dydd,
Pob dim yn sgrifenedig gan Shôn mewn dillad gwaith,
Heb nodion eglurhaol yn nhroed y ddalen chwaith.

Fe wyddai pawb drwy'r goror fod Shôn ers amser hir
Yn flaenor mawr ym Methel, os distadl yn y sir,
Yr unig un heb wybod ei fod cyn llawned dyn,
Na chofio ei fod yn flaenor, oedd Shôn y Crydd ei hun.

Yn nhymor nwyfus ienctid, ymhell cyn bod yn Shôn,
Roedd braidd yn hŷn nag eraill, a chadarn yn y bôn,
Ac yna yn nydd penllwydni, a chloffni yn ei droed,
Yn llawer iawn ieuengach nag eraill o'r un oed.

Pes genid yn Yr Alban, Yr Eidal neu yn Sbaen,
A phetai ar y ddaear ryw oes neu ddwy o'r blaen,
Yr un f'ai Shôn ei hunan, boed hynny fel y bo,
Ac yn y ffasiwn beunydd er pob rhyw awel dro.

Dim mymryn o athronydd,—yn llawer mwy o grydd,
Nid llawer o ddiwinydd,—yn gwybod mwy am ffydd,
Er hyn, rhyw undod perffaith oedd bywyd iddo ef,
A drws y siop a'r capel yn agor tua'r Nef.

Bu llawer o ddifenwi arno yntau yn ei ddydd,
Hen gobler oedd y blaenor, hen flaenor oedd y crydd,
Ond nid oedd dim yn tycio, na surni, sen na sôn,
Yr un ar fainc y capel a mainc y crydd oedd Shôn.

Wnâi dim y tro un amser ond pethau gorau'r byd,
Ei waddan fel ei weddi yn ddidwyll drwyddo i gyd,
A'i esgid fel ei grefydd yn herio'r craffaf ŵr,
Y naill a'r llall yn ddiddos, a'r ddwy yn dal y dŵr.

Câi fygyn ar y Grawys, chwibanai ar y Sul,
A chwarddai yn angladd pobol dda, er syndod pobol
gul,
Ni chlywai donc ar Harlech na sythai yntau'i war,
A dawnsio'n ddilywodraeth i nodau Crug-y-bar.

A'r lleill o wŷr y capel heb ofal yn y byd
Ond cadw'r deg gorchymyn,—a phrin eu cadw i gyd,
Roedd yntau'n gorfoleddu ar lanw gras a ffydd,
A'r ddeddf o dan ei choron ym muchedd Shôn y Crydd.

Ond gan nad oes un ddyfais ar gyfer rhai fel ef,
Rhyw fodd i'w rhoi i gysgu a'u deffro yn y Nef,
Bu raid i Shôn fynd adre'r un ffordd â phob rhyw ddyn,
'Run ffordd, mewn ffordd o siarad, ond yn ei ffordd ei hun.

Yn gripil ar ei wely, ger berw mawr y rhyd,
Daeth Ifan Phillips heibio i sbio'i hynt a'i fyd.
'Rhen Ifan yn ei ddagrau gan hiraeth mawr yn glaf,
A Shôn mor iach â'r gneuen fan honno'n gwenu'n braf.

'Mhen tipyn, ebe'r Hybarch: 'Cyn imi fynd o'r fan,
Fe garech glywed pennod a gweddi ar eich rhan?'
'Na hidiwch,' ebe yntau, 'yr un diolch, syr, i chi,
Mae'r cyfan wedi ei setlo rhwng y Brenin mawr a mi;

Ond, a bod awr fach gennych i'w sbario ar eich hynt,
Fe garwn pe caem fygyn er mwyn yr amser gynt,'
Ac yna tanio'u cetyn fel rhyw ddau hogyn drwg,
A gweled gwlad ddigwmwl tu hwnt i'r cwmwl mwg.

Bu sôn am Seiad Bethel a Sasiwn fawr Llan-non,
Nes clywed sŵn y rhwyfau yn 'sgythru brig y don,
A dyma'r mygyn olaf; rhoes Siôn ei getyn du
Yng nghornel bella'r pentan ymhlith y pethau a fu.

Od oes rhyw saint a'i beiai am wrthod gweddi a thôn,
Pan gwrddont yn y nefoedd boed rhyngddyn nhw a Shôn,
Os gwell gan eraill farw yn well na buont byw,
Â ffwdan mawr a phader—boed rhyngddyn nhw a'u Duw.

Pan wawriodd dydd yr angladd, a Shôn dan gaead arch,
Fu 'rioed ar lannau Teifi 'r fath alar mawr a pharch.
Hen ffrindiau Castell Newydd, Dre-wen ac Aber-cuch,
Pob un yn llaith ei lygad,—ond pawb a'u traed yn sych.

HEN WIN SERCH

Drigain mlynedd i heddiw, Nans,
  Yn eglwys fach y plwy',
(Tyrd â mawnen arall, Nans,
  Mae'n gynnar, tyrd â dwy;)

Drigain mlynedd i heddiw, Nans,
  Ti gofi'r awr a'r fan,
Y rhwymwyd amod rhyngom ni
  Yng nghangell lwyd y Llan.

Paid ag wylo, da ti, Nans,
  Mi wn i'r dim dy gur,
Rwyf innau'n gweld y darlun bach
  Sy'n crogi ar y mur;

Ond gwrando air o'm profiad, Nans,
  Cyn elo'r nos i ben—
Pe bawn i eto'n ugain oed
  Ac yn was y Felin Wen,

Mi awn ar f'union tua'r Llan,
  Waeth pwy a'm barnai'n ffôl,
I gwrdd â'r ferch a gwrddais gynt
  Drigain mlynedd yn ôl.

LLYTHYR

Ni chlywswn neb yn cerdded,
  Na churo'r drws na chri,
Ond gwyddwn fod rhyw neges drist
  O dan y ddôr i mi.

Es yno ar fy union
  A chael y ddeilen wyw,
Heb amlen wen amdani chwaith
  Nac enw'r undyn byw.

Mi wyddwn ers wythnosau
  A mwy, ei fod yn glaf,
Ac wele nawr y llythyr bach
  Yn sôn am farw'r haf.

Ni fynnai'r postmon aros,
  Ond mynd yn gynt a chynt,
Llwyth eryr o lythyrau oedd
  Dan gesail oer y gwynt.

GRAIG OLAU

Dim ond yr enw—Graig Olau—
  Ar draws y wagenni glo,
A dyma'r hen ardal a'i chyfan i gyd
  Yn ôl i'r meddwl a'r co',
Ac ebe fy nghalon hiraethus a mud—
  Maen nhw wrthi, wrthi o hyd.

Nid yr hen fechgyn a gofiaf,
  A'r dwylo creithiog, cry',
(Gwn am eu beddau hwy'n rhy dda)
  A gododd y trysor du,
Ond er bod y rheini'n gorffwys cyd,
  Mae rhywrai wrthi o hyd.

Yn y Graig Olau y gorwedd
  Plant y caledi mawr,
Ac yno mae'u hwyrion a'u meibion glew
  Yn chwilio a chloddio'n awr,
Eu hwyneb yn ddu, ond yn wyn eu byd
  Ac wrthi, wrthi o hyd.

BLWYDDYN NEWYDD DDA

I bob hen geffyl ufudd, gwâr,
Sydd erbyn heddiw'n llwyr ddi-werth,
Yn llwm ei fyd rhwng pedair perth,
  Blwyddyn Newydd Dda.

I bob hen fardd nas molir mwy
Oblegid dyfod tro ar fyd,
Ac eto'n dal i ganu o hyd,
  Blwyddyn Newydd Dda.

I bob hen forwr a ddaeth i'r lan
I drigo mewn diramant gell,
A'i galon ar y moroedd pell,
  Blwyddyn Newydd Dda.

I bob hen weithiwr, trist o weld
Ei law mor dyner ac mor lân,
Bron blino ar orffwys ger y tân,
  Blwyddyn Newydd Dda.

I bob hen broffwyd cryg ei lais
O hir daranu uwch y tir,
A'i Saboth mwy yn ddiwrnod hir,
  Blwyddyn Newydd Dda.

COFIWCH ALW

Yng nghydiad gallt a mynydd
　Y cewch fi'n ddigon clyd
Pan lwyr orffennwy'r bwthyn
　A fu'n fy meddwl cyd;
Awn iddo bore fory
　A setlo ar fyr dro
Pe cawn i ddrws a ffenestr
　A phedwar mur a tho.

Rwyf eisoes dan addewid
　Am wreiddiau iorwg glas,
'Run fath i'r dim â'r iorwg
　Sy'n tyfu ar ffrynt y plas,
Mae gennyf hefyd ffrindiau
　A ddaw i'm gweld am dro,
Pe cawn i ddefnydd pentan
　A barrau heyrn a glo.

Rwyf ynddo yn fy meddwl
　Yn aml ger y tân
Mewn cadair wiail esmwyth,
　Ac yn canu ambell gân;
Y morwyr a'r bugeiliaid
　O'm cylch drwy'r oriau hir,
Pob un â'i stori ddoniol,
　Ac ambell stori'n wir.

O'm gwely esmwyth clywaf
   Gân aber ar ei hynt,
A phan fo hwyl ar bethau—
   Hen organ fawr y gwynt,
Y cadno o'r fforestydd
   Yn cyfarth ganol nos,
A'm hen gi defaid innau
Yn ateb ar y clos.

Does fawr yn eisiau bellach,
   Byddaf yno ar fyr dro,
Y fan ca' i ddrws a ffenestr
   A phedwar mur a tho,
Rwyf eisoes dan addewid
   Am wreiddiau iorwg glas
'Run fath i'r dim â'r iorwg
   Sy'n tyfu ar ffrynt y plas.

Y MEMRWN
(Codex Sinaiticus)

Yn nydd ei nerth, a'i wallt mor ddu â'r frân,
Rhywun o draserch at y Wirffydd dlos
Yn eistedd yn ei gwman ddydd a nos
I ymhyfrydu yn y Gyfraith Lân;
Ar draws ei nefoedd fach tan ddorau bollt
Ni thorrai twrf y byd a'i helynt blin,
Yr incorn diball oedd ei gostrel win,
A'i deyrnwialen oedd ei bluen hollt;
Yna, a'r noswyl olaf yn nesáu,
A'r milmil dail yn dryfrith, ôl a blaen,
Gan wyrth a salm a dameg gwych eu graen,
Ailolwg frysiog drostynt cyn eu cau,
A marw'n pwyso ar ei Femrwn glân
Heb wybod bod ei wallt mor wyn â'r gwlân.

A WELAIS I YN LLŶN

Hen alarch yn addoli'i lun
Ar Afon Soch rhwng hesg a choed,
Iorwg gwyrdd ar glochdai cryn
A fioledau o gylch fy nhroed,
A'r ddraenen ddu ar ddôl a bryn
Mewn gorchudd tlws o gamric gwyn.

Pob dim yn cadw'r Pasg drwy'r fro,
Y blagur tirf a'r egin grawn,
A gwerin lawen yn ei thro
Yn eilio cân â pharod ddawn,
Ac nid oedd ddim a flinai ddyn
Y dydd yr euthum i i Lŷn.

Byth ni ddaw'r fro i'm meddwl mwy
Ond megis breuddwyd dwfn ei hedd,
Ac uwch yr hud dyfalu'r wy'
A holi'n syn—pa wedd, pa wedd
Y temtir alarch gan ei lun
Ar unrhyw afon yng ngwlad Llŷn?

YN DREFNUS IAWN

Felly y deuai dyddiau'r hendy i ben:
Marged rhwng brig a sawdl yn prysur weu,
A Siôn mewn hwyl yn darllen cwrs y byd
Hyd at y ceffyl newydd dorri'i goes;
Ar hyn, y cloc ag awdurdodol lais
Yn taro olaf awr y dydd ond un,
Nes cofiodd hithau ei bod yn hen a llesg,
A tharo'r gloyw weill drwy'r bellen wlân,
Ac yna'n llwyarn yn y manlo gwlych,
Gan huddo'r tân a dwyn ar gof i Siôn
Y torrai rhyw hen geffyl eto'i goes
Cyn nos yfory: 'Paid â bod yn hir
Cofia roi'r golau allan a chloi'r drws'.

A'r ddigyfnewid drefen fach a aeth
Yn ddeddf deuluaidd,—Marged hyd ei bedd
Yn huddo'r tân cyn troi i'w gwely'r nos,
A Siôn yn diffodd fflam y gannwyll wêr
Ac yna'n dilyn—wedi tynnu'r follt.

Darfu dihelynt hoedyl yr hen bobl,
Y cystudd mawr a'u goddiweddodd hwy,
Hyd oni byddai hyfryd ganddynt sôn
Am felys gwsg y bedd yn erw'r Llan,
Ac yna'r ddau'n noswylio'n drefnus iawn,
Marged yn gyntaf, wedi hynny—Siôn.

TOMOS TOMOS

Cyffredin anghyffredin iawn
  Oedd Tomos Tomos syber,
Ni welais nemor neb erioed
  Mor debyg i gynifer.

Nid oedd nac od o dal na byr,
  Nid oedd na thrwm nac ysgawn,
Dyn-bach cyfartal ym mhob peth
  Oedd Tomos Tomos ffyddlawn,

Heb fod un mymryn gwell na gwaeth
  Na'r modd y bai'n ymddangos,
Yn ôl a blaen—'run fath i'r dim
  Â'i enw—Tomos Tomos.

Er hyn i gyd, fe wyddai pawb
  Fod dilyn hwn yn ddiogel,
'Dewch, mwstrwch, blant', medd Mam pan âi'r
  Hen Domos tua'r Capel;

A'i lyfr emynau dan ei fraich
  A'i ddillad parch amdano,
Graen y grib ar wallt ei ben
  Â'i sgidiau yn disgleirio.

Ac wele'i fedd tan ruglwyn tirf
  A charreg lwyd gyffredin,
Ymhlith y rhai nad oeddent fawr
  Mewn dim ond ar eu deulin.

A dyna pam rwy'n canu cân
   I'r symlaf o'r werinos—
Mae dyled dryma'r byd i wŷr
   O dymer yr hen Domos.

Rhois innau'i glod mewn geiriau plaen,
   Roedd geiriau coeth yn f'ymyl,
Ond teimlo wnawn fod dyn mor dda
   Yn haeddu'i foli'n syml.

BROC Y MÔR

'Tai ti rywdro'n Aberdaron
   Ac yn gweld cyn toriad gwawr
Oleuadau ar y glannau
   Gyda thrai y llanw mawr,
Paid dyfalu na dychmygu
   Bod helbulon iti'n stôr,
Ni bydd yno ond gwŷr y dreflan
   Wrthi'n casglu broc y môr.

Oriog iawn yw'r môr serch hynny,
   Weithiau mwy ac weithiau lai,
Ond tyrd yma bore fory
   A chei weled yr un rhai
Eto 'ngolau'r un lanternau
   Wrthi'n trosi ac yn troi,
Oriog iawn yw'r môr fel tithau
   Weithiau'n cadw, weithiau'n rhoi.

'Tai ti rywdro'n Aberdaron
   A'r hen gloch yn canu cnul,
A gorymdaith fach alarus
   Yn nhrofeydd yr heol gul,
Paid â synnu oni wybydd
   Neb ei enw ond yr Iôr,
Fe fydd hynny'n digwydd weithiau
   Wedi casglu broc y môr.

NANT-Y-GLO

I Nant-y-glo drwy wynt a glaw
Mae 'nghalon lawn yn troi o hyd,
Lle profais hedd a llawnder byd
  A'r Nefoedd ar bob llaw.

Yno cyn hyn trwy ffenestr gul
Y gwelais heulwen lawer gwaith
Ar wely'r saint oedd ar eu taith
  I gadw'r bythol Sul.

Ac er eu rhoi mewn gwely gro,
Codasant oll, maent eto'n fyw;
I mi does neb o dan yr yw
  Ym mynwent Nant-y-glo.

Rwy'n gweld yr un gwerinwyr glew
Mewn gerddi bach pan ddelo'r haf,
Ac wrth eu tanau mawr fe'u caf
  Pan fyddo glwm o rew.

Maent adref oll pan af am dro
A churo wrth y gwyndai tlws,
Yr un hen bobl a ddaw i'r drws,
  Pan af i Nant-y-glo.

CLOCH Y LLAN

Mae hi'n Saboth am unwaith eto, Siân,
  A chanu mae cloch y Llan,
A chystal cyfaddef, mae'n galed, Siân,
  Heb allu mynd gam o'r fan,
Amser i'w gofio oedd hwnnw gynt
  Pan aem i addoli 'nghyd,
Heb gyfri'r milltiroedd, drwy law a gwynt,
  Na dim i gymylu'n byd.

Glyw' di hi'n canu? Yr un hen gloch
  Ag a ganai'r bore gwyn,
Pan ddest i'm cyfarfod a gwrid ar dy foch
  I'r eglwys yn ymyl y llyn;
Roedd hi'n canu'n bereiddiach bryd hynny, Siân,
  Fel y cofi'n dda mi wn,
Ac roedd mwy o aur yn dy fodrwy, Siân,
  Nag sydd ynddi'r bore hwn.

Y dydd pan ddilynem ni elor Gwen
  I'w bedd yn y fynwent lwyd,
Ti gofi'r offeiriad mewn llaeswisg wen
  Yn ein cwrddyd yn ymyl y glwyd;
Oes, mae deugain mlynedd er hynny, Siân,
  A bu llawer tro ar fyd,
Ond bydd deigryn hiraethus yn gwlychu 'ngrân
  Man y cano'r gloch o hyd.

Mae'n heinioes, anwylyd, yn dirwyn i ben,
　Ac awr y noswylio'n nesáu,
A'r gloch oedd yn canu ddydd angladd Gwen
　Fydd yn canu pan gleddir ni'n dau;
A phwy fydd ei hunan yn ymyl y tân,
　Yn dlawd a digysur ei fyd,
Fe fyddai'n drugaredd, oni fyddai, Siân,
　Pe galwai'r hen gloch ni 'run pryd?

GWEDDILL

Ni thorrodd llanw erioed ar draeth
Na chariai rywbeth yn ei gôl,
Erioed ni threiodd llanw ychwaith
Heb adael rhywbeth ar ei ôl.

Er cilio o olud gwyrdd yr haf
O frig yr allt dros drothwy'r ddôl,
Ni ddwg ei ddoniau oll i ffwrdd,
Bydd eto rywfaint ar ei ôl.

Pan ddof i'r gilfach glyd a glân
I gwrdd â'r bad a ddaw i'm nôl,
Wrth godi hwyl a llithro i ffwrdd
Mi adaf rywbeth ar fy ôl.

FY OLWEN I

Rwy'n fodlon cydnabod bod Olwen
   Yr eneth brydferthaf—ond un,
Ni synnaf un mymryn fod beirdd pob oes
   Yn hanner addoli ei llun,
Ond rhaid i mi addef er hynny
Fod un sy'n anwylach i mi,
Mae'n canu ar aelwyd y gegin yn awr
   —Hon yw fy Olwen i.

Mi wn nad oes fflamgoch sidanau
   Am wregys f'anwylyd wen,
Na chadwyn o berlau llaes am ei gwddf,
   Na choron o aur ar ei phen,
Ond waeth gen i ddim am hynny,
   Y sioncaf o bawb ydyw hi,
Heb ffyrling o ddyled i neb drwy'r byd
   —Hon yw fy Olwen i.

Fe all fod rhai gwynnach eu dwylo,
   Fe all bod rhai 'sgawnach eu troed,
Ond beth tase dwylo f'anwylyd mor wyn
   Ag anemoni ffynnon y coed,—
Beth ddeuai o'r tyddyn a'r aelwyd
   A'm plant sy cyn amled eu rhi'?
Un dyner ei chalon a chaled ei llaw
   —Hon yw fy Olwen i.

Pan glywais fod meillion yn tyfu
   Lle bynnnag 'r âi Olwen y bardd,
Mi gerddais o amgylch fy nhyddyn glas
   A dychwelais i rodio'r ardd;
Does undyn a gyfrif y meillion
   A'r blodau sy'n chwerthin mor ffri
Lle cerddodd un arall sy'n ddigon di-sôn
   —Hon yw fy Olwen i.

Pan edy fy mhlant yr hen aelwyd,
   A minnau yn llesg ac yn hen,
Ofer fydd disgwyl i Olwen y beirdd
   Ddod yno â chusan a gwên,
Ond mi wn am un fydd yn glynu,
   Yn glynu tra croeswyf y lli,
Hi fydd yr olaf i droi ei chefn
   —Hon yw fy Olwen i.

ANGLADD Y TORRWR BEDDAU

Mae'n dri o'r gloch, mi af mewn pryd,
Fu ef erioed ar ôl ei awr,
Y cyntaf oedd ym mhorth y Llan
Pan roed yr elor drom i lawr.

Ni chlyw mo'r marw gnul y gloch,
Rhy drwm, rhy beraidd yw eu hun,
O'r sawl a gadd ei ffafr ef
Ddaw'r un i dalu'r pwyth, yr un.

Fu storm erioed na welid ef
Lle dylai fod, rhwng caib a rhaw,
Yn gwarchod ceulan lom y bedd,
A phridd a lludw yn ei law.

A'r olaf oedd yn gado glan
Y twmpath coch ar ddiwedd dydd,
A mynd a'i ado eto yr wyf,
Canys gwn mai hwyrach heno fydd.

Nos da, ddi-ddiolch was y fro,
Boed beraidd hun yr henllan lwyd,
Fe roir dy offer yn ei le
Fel arfer, ac fe gloir y glwyd.

BRETHYN CARTRE

Chi sy'n cofio 'Newyrth Dafydd,
   Patriarch y Felindre,
Rŷch chi'n cofio'n burion hefyd
   Am ei frethyn cartre;
Aeth ei got yn hen heb golli
   Dim o'i gra'n,
Roedd hi'n llwyd pan gas ei phannu,
   Brethyn gwlân y defaid mân—
   Dyna fel y gwisgai'r oes o'r bla'n.

Cytgan: Brethyn gwlân y defaid mân,
      Dyna fel y gwisgai'r oes o'r bla'n.

Felly'r elai gynt i garu,
   Yn ei frethyn cartre,
Ac ar fore ei briodi
   Gyda Neli'r Hendre;
I ffair Glame a chymanfa'n
   Ddiwahân,
'Run hen wisg a'r un hen grefydd,
   Brethyn gwlân y defaid mân,
   Dyna fel y gwisgai'r oes o'r bla'n.

Cytgan: Brethyn gwlân, etc.

Gwelodd 'Newyrth lawer ffasiwn,
   Do yn enw'r annwl,
Ond effeithiodd 'run ohonynt
   Ddim ar ddillad 'Nwncwl,

Ni freuddwydiai am wisg newydd
   Mwy na'r frân,
'Run hen dorrad yn dragywydd,
   Brethyn gwlân y defaid mân,
   Dyna fel y gwisgai'r oes o'r bla'n.

Cytgan: Brethyn gwlân, etc.

Gwisg o liain main a derw
   Sydd amdano heno,
Ac mae'r awel yn yr ywen
   Dan yr hon mae'n huno,
Ond mae'r defaid eto'n pori
   Yng ngwlad y gân,
Ac mae arnynt wlân yn tyfu,
   Brethyn gwlân y defaid mân,
   Dyna fel y gwisgai'r oes o'r bla'n.

Cytgan: Brethyn gwlân, etc.

LLUDW

Eisteddwn neithiwr ger y tân
  Yng ngwres y wenfflam loyw,
A phob yn dipyn cysgu'n drwm
  Yng nghôl y gwynfyd hwnnw,
Ac nid oedd gennyf pan ddeffrois
  Ond lludw.

Nid oes ychwaith tu faes i'r dref
  Lle gynt bu ffwrnais ulw,
A'r tadau dygn yn toddi'r mwyn
  Yn ffrwd o hylif berw—
Nid oes yn awr ond carnedd lwyd
  O ludw.

Ac er a gaf o lesni mwyn
  Yn erw lom y meirw,
Yr ywen werdd sy'n herio'r gwres
  A grym y gwyntoedd garw,
Nid oes o dan ei gwreiddiau hi
  Ond lludw.

A rhyw hen fardd yn niwedd byd
  Cyn gwyro'i ben i farw,
A wêl y gwellt a'r lili gan,
  Yr haul a'r lleuad welw,
Pob dim—ond nid ei gân ei hun—
  Yn lludw.

LLE'R CLEDDYF

('Dychwel dy gleddyf i'w le'—*Iesu*)

Ymgleddaist ar Gilboa falch
Ym mynwes Saul ar dywyll awr,
Disgleiriaist yn dy emau prid
Wrth wregys Alecsander fawr,
Er hyn, yng ngardd yr ing, Efe
A'th roes yn dawel yn dy le.

Dihunaist eilwaith yn dy lid
O'th gyntun byr a thaenu gwae,
A derbyn weithiau ar dy rawd
O fendith pab a phroffwyd gau,
Ac nid oedd dim drwy'r byd o dde
Pan nad oet tithau yn dy le.

Daw eto ddydd pan na bydd gof
A red ei fawd ar hyd dy fin,
Nac ynfyd awen chwaith a faidd
Dy foli â chywyddau gwin,
O ddedwydd ddydd, pan ddêl Efe
I'th roi, a'th gadw, yn dy le.

AFON MENAI

Mae'r afon gul yn llydan
  I ddeuddyn brwd eu bron,
Pan fyddo'r naill yr ochor draw
  A'r llall yr ochor hon.

A môr oet tithau, Fenai,
  Dod gennad imi sôn,
Pan oeddwn i ym Mangor gynt
  A'm cariad draw ym Môn.

Aber yw'r afon feithaf,
  Gwyn fyd y neb a ŵyr,
Pan fyddo dau yn rhwyfo 'nghyd
  Wrth olau gwan yr hwyr.

Yr afon a'n gwahano
  Yw'r lletaf un o hyd,
A'r awr a'r filltir fyrraf yw
  Y rhai pan fôm ynghyd.

Y LLONG AUR

Mae'n hwyr, mae'n hwyr yn dod,
  Rwy'n disgwyl ers tymor hir,
Mae rhywun i'w feio, mae rhywbeth yn bod
  Na ddaethai fy llong i dir,
  Mae llestri fwy na rhi'
  Yn hwylio draw ar don,
Ond llwyd yw eu hwyliau, a'm llong fach i,
  —Hwyliau o aur fydd i hon.

Pa bryd y daw, pa bryd
  Dros arian lanw'r môr?
Mae gwynfyd a chyfoeth fy mywyd i gyd,
  Mae popeth yn hon yn ystôr;
  Daw llongau o bob rhyw lun
  I'r hafan fore a nawn,
Ond gwag yw y llongau hyn bob un,
  Bydd fy llong fach i yn llawn.

Rwy'n blino, blino'n llwyr
  Ar edrych dros ymyl y graig;
Fe all na chychwynnodd, a phwy a ŵyr
  Na suddodd i ddyfnder yr aig;
  Heddiw yn ofer y sydd
  Wrth edrych i'r amser draw,
Gwell yw y llong sydd yn morio bob dydd
  Na'r llong fach aur ni ddaw.

Chwyn a mieri a drain
    Sydd draws fy nhyddyn i gyd,
Llwyd yw fy aelwyd a thlodaidd ei graen
    Wrth ddisgwyl, disgwyl o hyd;
    Yn ôl at y gaib a'r rhaw,
    Ofer breuddwydio fel hyn,
Gwn y bydd bendith ar lafur fy llaw,
    A deled fy llong bryd y myn.

LLANGRALLO

(Wrth fedd Thomas Richards, y geiriadurwr, yn sŵn
melinau a ffatrïoedd rhyfel)

Nid wyf yn cofio iti fethu erioed,
A dod yr wyf, hen eiriadurwr mud,
A gofyn pa ryw air a weddai i'r byd
Sy ohoni yn Llangrallo a Phencoed?
Terfyn dy hen hwsmonaeth sydd yn sarn,
Aderyn doeth ni nythai yn ei choed,
Hyfrydwch bro dan felltigedig droed
Rhyw anwar aliwn yn darogan barn,
Henllan tirioni a hedd yn ferw bair,
A'r nen ar rwygo gan daranau croch
Y llid a fydd y dydd na chano cloch,
—Llangrallo yn gaer ellyll; dwêd—pa air?
Ofnwn na lwyddet heddiw; huna mwy,
A'r Nef a drugarhao wrth bla dy blwy'.

48

REHOBOTH

(Wrth adael wedi gweinidogaeth o
un mlynedd ar bymtheg)

Mae'r goleuadau'n diffodd, un ac un,
A'r dorf yn cyrchu'r hen aneddau clyd,
A minnau'n gaeth i deml a gerais cyd,
Mewn rhyw ddychrynllyd oedfa wrthyf f'hun,
Yna i'r gwanllyd olau, ar drefnus lun,
Y rhai a briddais gynt yn welw eu pryd
Yn dod i'w seddau'n ôl o arall fyd
Gan gludo bendith plant y beraidd hun;
Ac wele ford y Cymun eto'n wyn,
Ac atswn moliant melys fel hen win;
Pa fodd, Rehoboth, y gadawaf di
A datrys rhwyd y mwyn atgofion hyn?
Tangnefedd, fangre hoff; hyd henoed crin
Ni ddiffydd d'olau ar fy llwybrau i.

Y FORWYN FACH

Cyrhaeddais nos Sadwrn, a'i chael yn y drws
Yn disgwyl amdanaf, mor hawddgar a thlws,
Tiriondeb ei hunan, a'i gwallt o aur pur,
Ond ei llaw-fach mor galed, mor galed â'r dur.

Y buarth heb soflyn na blewyn o chwyn,
Yr aelwyd a'r trothwy fel marmor o wyn,
Ni welwn frycheuyn yn unlle'n y byd
Ond ar y llaw galed a'u trwsiodd nhw i gyd.

Mi feiais y perchen a phawb a phob peth,
Y rhent a'r hen ddyddyn, y degwm a'r dreth,
Fod neb â'i dwy law-fach gyn amled eu craith,
Heb arian i brynu dwy faneg ychwaith.

A thrannoeth enynnodd fy nghalon yn fflam,
Fe'm teimlwn fy hunan yn euog o'r cam
Pan welais fy esgid mor raenus ei llun,
A'r llaw fu'n ei gloywi mor ddi-raen ei hun.

CARU CYMRU

Rwy'n caru pob erw o hen Gymru wen,
  Ei chreigiau a'i rhosydd di-raen,
Pob mynydd â choron o rug ar ei ben,
  Pob cilfach a cheunant a gwaun;
      Ac nid oes a geisiwn,
      Na dim a ddymunwn,
Ond bwthyn bach tawel rhwng cyrrau fy mro,
A beddrod i huno yn rhywle'n ei gro.

Rwy'n caru, rwy'n siarad iaith beraidd fy ngwlad,
  Iaith fwynaf yr hen Ynys hon,
Iaith aelwyd a themel, iaith mam a fy nhad,
  Iaith calon, boed leddf neu boed lon;
      Mae'r emyn a'r alaw
      A'r weddi fach ddistaw
Yn dweud mai'r Gymraeg yw iaith galar a gwledd,
Iaith carreg fy aelwyd, iaith carreg fy medd.

Rwy'n caru ei gwerin ddirodres o'r bron,
  Hen fonedd y bwthyn to cawn,
Nid cyfoeth y ddaear a rannwyd i hon,
  Ond golud o ddysg ac o ddawn,
      Does efail na melin,
      Nac aelwyd gyffredin
Lle nad yw athrylith ar goll yn ei gwaith,
Duw gadwo fy ngwerin, hen werin y graith.

Rwy'n caru arferion a gwyliau'r fro lân,
  Hen gartre'r Eisteddfod a'i bri,
Cynefin Efengyl a Chrefydd a Chân,
  A Seion y gwledydd yw hi,
      Ei Bethel a'i bwthyn,
      Ei thalent a'i thelyn
Yw harddwch y frodir anwylaf a gaed,
Nid Cymru fydd Cymru â'i choron dan draed.

DWYWAITH YN BLENTYN

Heb ffon na sbectol
A'i ruddiau fel y ceirios coch,
Safodd ar lan ei fedd ei hun
Yn saith-deg oed,
Ond ni bu angladd;
Troes yn ei ôl drwy'r canol oed a fu,
Yn fras ei gam,
Ac yna naid
Tros dwymyn dydd ieuenctid,
A'i gael ei hun
Yn blentyn eto'r eilwaith, heb na thad
Na mam i'w swcro mwy:
Yn orlawn o'r drygioni hoff gan Dduw,
Yn hepian ganol dydd
A chrio'r nos,
A rhwygo'r llyfr lluniau'n dipiau mân,
Yn iau na'i blant,
A chyfoed
I'w ŵyrion a'i wyresi bach.

Odid na syrth cyn hir
Wrth chwilio am astell arw'r cawell siglo
Lle'r hunai gynt
Yn sŵn hwiangerdd mam,
Heb fraich a'i cyfyd mwy,
Ac yna marw'n blentyn naw-deg oed
Yn wyn ei fyd.

MAESALEG

Y carw'n pori megis cynt
  O glawdd i henglawdd hyd y stad,
Heb ond fy hunan ar ei hynt
  Na thrydar telyn yn y wlad,
Gwae fi o geisio tloted plwy'
Heb Ifor yn ei henllys mwy,

Fe all mai dan y deiliach glas
  Sy tan fy nhraed mae lloriau'r wledd
Lle bu rhianedd uchel dras
  Yn llon ar ddil y tant a'r wledd;
Mwy oerllyd fyth pan gofiwyf hyn
Yw cri'r dylluan yn y glyn.

Mae'r hengoed eto yn y fro
  Yn wern ac yw a deri glas,
Ond ni ddaw Dafydd yma am dro
  I garu a chanu i ferch y plas,
Mud, mud ers talm yw'r awen bur
Fel bedd y bardd yn Ystrad Fflur.

Yn iach, Faesaleg lwyd dy wedd,
  I wyndai clyd Morgannwg af,
Ac ar aelwydydd llwm, di-wledd,
  Cerdd goll y Llys, pwy ŵyr nas caf?
Yn iach: rwy'n clywed gyda hyn
Y delyn bêr rhwng muriau gwyn.

YR AWR AUR

O'r gadair freichiau ger y tân
I ryw wlad well y cipiwyd fi,
Lle nid oedd fedd na deilen wyw
Na nam ar ddim, na chwyn na chri,
Hyfrytaf wlad y gwledydd oedd,
Ac nid oedd enw arni hi.

Ei llawen blant mewn heddwch oedd,
Y mawr a'r bach yn trigo 'nghyd,
Ei phennaf gŵr heb honni braint
A'r lleiaf un yn moli'i fyd,
Canys nid oedd yno lai na brawd
Na neb yn hen er trigo cyd.

A hyn a fu ar ddydd nas ceir
Ym mhedwar tymor blwyddyn gron,
Digwmwl ddydd, heb fachlud haul
Na mesur ar ei oriau llon,
Bore a hwyr nis gwelais ddim
Gan gymaint hwyl a hedd y fron.

Na cheisier gennyf enwi'r fro
Nac olrhain gwraidd ei hachau glân,
Ni chofiaf chwaith mo'r awr o'r dydd
Y drachtiais feddwol win y gân,
Awr aur oedd hi; ac yna'n ôl
I'r gadair freichiau ger y tân.

BETHESDA'R FRO

Ymdroi yr oeddwn gyda'r hwyr
Ym mynwent fach Bethesda'r Fro,
Pan ddaeth i'r awyr wiber wyllt
O bwynt y môr dros Aber Ddo.

Ei rhu oedd megis ffwrn o dân
A dyrnu'r nen â'i hesgyll taen,
Heb arddel tegwch Afon Lai
Na llun y Grog ar dŵr Pont Faen.

Ac O, fy mraw, pan glywais sŵn
O ddyfnder bedd gerllaw'r glwyd h'arn,
—Rhywun yn anesmwytho o'i gwsg
Gan dybied ddyfod dydd y Farn.

Ni wn i fwy na'r marw ddim
Pwy oedd yn troi'n ei wely gro,
Ond gwn fod Tomos Wiliam fwyn
Yn cysgu ym Methesda'r Fro.

TUT-ANKH-AMEN

Yn Nyffryn y Brenhinoedd gwaedd y sydd
Am ogoneddus deyrn yr euroes bell,
Heb lais na chyffro yn y ddistaw gell
Na gŵr o borthor ar yr hundy cudd;
Er cynnau'r lamp, ni ddaw i'r golau mwyn,
Er gweiddi seithwaith uwch, ni chlyw efe;
"Pharaoh"—ust, na, nid yw'r teyrn yn nhre
Na'r un gwarchodlu a omedd ichwi ddwyn
Ei olud; ewch a rhofiwch, llwyth ar lwyth,
Heb arbed dim, na'r aur na'r ifori,
Na'r meini prid, na'r pres na'r eboni,
Ac ymestynnwch ar y meinciau mwyth,
Ni'ch goddiweddir ddim; mae'r teyrn ar daith,
Ni ddychwel heno,—nac yfory chwaith.

Y SIPSI

Hei ho, hei-di-ho,
　Fi yw sipsi fach y fro,
Carafán mewn cwr o fynydd,
Newid aelwyd bob yn eilddydd,
　Rhwng y llenni ger y lli,
　Haf neu aeaf, waeth gen i,
　　Hei ho, hei-di-ho.

Beth os try y gwynt i'r de,
　Digon hawdd fydd newid lle,
Mi ro i'r gaseg yn yr harnes,
Symud wnaf i gornel gynnes,
　Lle bydd nefoedd fach i dri,
　Romani a Ruth a mi,
　　Hei ho, hei-di-ho.

Nid oes ofyn rhent na thâl
　Am y fan lle tannwy' 'ngwâl;
Golchi 'mrat yn nŵr yr afon
A'i sychu ar y llwyni gwyrddion,
　A phan elo'r dydd i ben,
　Mi gaf olau sêr y nen,
　　Hei ho, hei-di-ho.

Prin yw'r arian yn y god,
　Ond mae amser gwell i ddod,
Mi rof gariad i hen ferched
Ac mi werthaf lond y fasged,

Yna'n ôl at Romani
I garafán a garaf i,
  Hei ho, hei-di-ho.

EGLWYS TYDDEWI

Hiraethai ddoe fin hwyr am glywed sŵn
Hen bererinion dyddiau'r ŵyl a'r wyrth,
Heb glywed yn ei freuddwyd dwfn mo hwyl
Na thwrw'r plant yn chwarae yn ei byrth.

Y gwŷr a naddodd gongolfeini'r tŷ,
A'r sawl a ganai yn ei gorau gynt
Yn huno tan y meini hollt gerllaw,
A'r deml yn dal, er glaw ac ôd a gwynt.

Y wennol wamal yn ymdroi o'i gylch,
A synod frain barablus ar ei dŵr,
Y drudws digri'n trydar ar ei grib,
A'r cysegr hen yn fyddar er y stŵr.

Y lleuad ddistaw yn goleuo'i do,
A'r gloch yn rhifo oriau'r dydd i ben,
A'r pader na bydd marw yng nghalon dyn
Yn aros yn nefosiwn maen a phren.

JOHN PENRY
(Merthyr Mai)

Anodd yw marw yn niwedd Mai
A'r egin ir yn ennill nerth,
Yr ŵyn yn chwarae ar Gefnbrith
A'r grug yn las ar Epynt serth,
Ti, Benry, a'r dewisol rai
A ŵyr y modd i farw ym Mai.

Marw ym Mai a blagur tirf
Ym mrig y pren lle trengaist ti,
Ac addewidion ffrwythlon haf
O'r diwedd hyd ein hynys ni,
Anodd, a'r gaeaf maith ar drai,
Anodd yn wir oedd marw ym Mai.

Eithr nid yn ofer, Ferthyr dewr,
Y drylliwyd d'ais ag arfau brad,
Mae'r wirffydd eto yn y tir
A geraist ti goruwch pob gwlad,
A gloyw lamp ym Methel wan,
A llafar gloch mewn llawer llan.

Yr iaith a glywaist yn dy grud,
—Y Memrwn mawr a'i ceidw'n fyw,
Ac uwch na chrib yr Epynt balch
Yng Nghymru fach yw Mynydd Duw,
Dy foliant dithau ni wêl drai
Am herio mil a marw ym Mai.

YR ENW AR EI HANNER

(Hopcyn R---; llofnod anorffen Dr Hopcyn Rees
ym Memrwn y Cadeiryddion)

Pan wibiai ei feddwl rhwng nefoedd a llawr
Rhoed iddo'r hen Femrwn a garai mor fawr,
A'i law'n ymbalfalu'n ddi-drefn a di-lun
Dechreuodd sgrifennu ei enw ei hun.

Disgynnodd ei lygad ar rôl diystaen
Yr enwau dilychwin oedd fanno o'i flaen,
Arhosodd am ennyd i'w cofio bob un,
Hyd onid anghofiodd ei enw ei hun.

Ehedodd ei feddwl i China drachefn,
Lle gwelsai arwyddion y Meichiau a'r Drefn,
Heb feddwl am glod na gogoniant ond Un,
A chwbwl anghofio ei enw ei hun.

Ailagor y Memrwn mewn gwendid a chlwy',
Ochenaid—a thorri llythyren neu ddwy,
Ac yna daeth angel caredig o draw
A chymryd y Memrwn a'r bluen o'i law.

'Na flina, fy mrawd,' ebr angel yr Iôr,
'Mae d'enw yn ddiogel ar dir ac ar fôr,
Ni'th elwir ond Hopcyn gan werin dy wlad,
A Hopcyn yw d'enw ym Meibil dy dad.'

NI CHOELIAF MWY

Wel, dywed im, gariadlanc mwyn,
Faint sydd o ffordd i'r Felin Wen,
Ac a oes riwiau fwy na mwy
Cyn delo 'nyrys daith i ben?

'Rhyw ergyd carreg,' ebe'r llanc,
'Yw'r ffordd oddi yma i'r Felin Wen,
A llwyni gwyrddion ar bob llaw
Heb riw na thro,' a gwenodd Gwen.

Ymlaen â mi a thybio'n siŵr
Na ddeuai'r siwrnai byth i ben,
A llawer rhiw a llawer tro
Oedd ar y ffordd i'r Felin Wen.

Pe rhodiwn hyd fynyddoedd gwyllt
Heb gysgod cawnen uwch fy mhen,
Nis holwn ac nis coeliwn mwy
'Run llanc a fyddo'n hebrwng Gwen.

MATHEWS PIAU'R FRO

Gall mai'r Barwn a'r pendefig
  Sy'n cael rhent ei herwau bras,
A bod ambell symlyn gwledig
  Yn tynnu'i het i ŵr y plas,
Ond o dreulio 'ngardd y gerddi
  Dridiau difyr ar fy nhro,
Hawdd yw gweld mai'r gŵr o'r 'Wenni,
  Edward Mathews piau'r Fro.

Mynd tuag yno'n iawnda heini
  Nawnddydd Sadwrn at fy ngwaith,
Ond athrylith fawr Ewenni
  Yno o'm blaen ers oriau maith,
Ac wrth ado'r Fro fendigaid,
  Fore Llun am lwybrau'r byd,
Mathews wrthi'n rhifo'r defaid,
  A rhyw un yn eisiau o hyd.

Er nas gwelir mono'n ysgwyd
  Sasiwn Gwynedd fawr a De,
Nid oes Saboth nad yw'r proffwyd
  Yn cael oedfa fawr yn nhre;
Ac er hardded Bro Morgannwg
  Heddiw, daw'n fireiniach darn,
Am fod c'oeddiad Edward Mathews
  Yn y Fro hyd fore'r Farn.

ANGLADD LINCOLN

Ewch ag e'n ôl i Illinois,
  I Illinois i'w fedd,
Ewch ag e'n ôl yn ddiymdroi,
  Cleddwch ef yno mewn hedd,
Drwy ddagrau hiraeth y Gogledd maith
  A heddwch y goncwest lwyr,
Ewch ag e'n ôl wedi'i ddiwrnod gwaith
  I orffwys gyda'r hwyr.

Rhwymwch ei archoll, ewch ag e'n ôl
  I Illinois ddi-frad,
Cleddwch ef yno ar lethr y ddôl
  Ger y coed a bedd ei dad;
Arwr diwyro'r wenallt a'r wig—
  Ewch ag e'n ôl i'w fro,
Lle hidla'r aderyn o lednais frig
  Ei gân uwch ei wely gro.

Cyfaill y caethwas, tarian y tlawd,
  Merthyr ieuengaf y byd,
Heb weled yn undyn lai na brawd,
  Ni waeth am ei wawr a'i bryd,
Rhowch iddo fedd yn Illinois,
  Paradwys y cread crwn,
A pheidier â gomedd i'r Negro roi
  Ei ysgwydd dan elor hwn.

Na, ni raid marmor uwch ben ei fedd,
  Na cherfio'i enw ychwaith,
Dyfnach nag archoll cadwyn a chledd,
  Dyfnach yw hwnnw na'r graith;
Ond huno lle'r hunodd gyntaf erioed
  Ger porfa'r ychen a'r hydd,
Huno yn sŵn y cymynwyr coed
  A charolau'r Negro rhydd.

GWYNFYD

Ei enw yw paradwys wen,
Paradwys wen yw enw'r byd,
Ac wylo rwyf o'i golli cyd
A'i geisio hwnt i sêr y nen.

Nid draw ar bellbell draeth y mae,
Nac obry yng ngwely'r perlau chwaith,
Ond milmil nes, a ber yw'r daith
I dawel byrth y byd di-wae.

Tawelach yw na'r dyfnaf hun,
Agosach yw na throthwy'r drws,
Fel pêr-welyau'r rhos o dlws—
A'r allwedd yn fy llaw fy hun.

BENDITH MAM

(Gadael Cartref)

Cyn i'r cerbyd droi i'r pantle
  Dan y coetcae bach di-raen,
Clywn fy mam yn galw arnaf
  Wrth fy enw bedydd plaen,
Yna'n ôl i ail-ffarwelio
  Dros y gwrych yng ngodre'r ardd,
Lle roedd bellach bedwar llygad
  Megis pedair ffynnon dardd.

Gwthio wnaeth ei braich drwy frigau'r
  Berthen ddrain a rhoi'n fy llaw
  Ddarn o aur a roesai 'nghadw
  Erbyn dydd y gawod law;
A phan oedd y llaw fendithiol
  Yn diflannu yn y berth,
Dafn o waed fy mam oedd arni
  Nas gŵyr neb ond Un ei werth.

Rwy'n ei chlywed yn fy ngalw
  Fyth i odre'r ardd yn ôl,
Ac yn gweld drwy'r ddraenen arw'r
  Fraich a'm magodd yn ei chôl;
Fanno, fanno rwy'n ei gweled,
  Angel f'oes a'r wefus fud,
Gyda'r un diferyn hwnnw
  Ar y llaw fu'n siglo 'nghrud.

YNYS HEDD

Lle gyr y gwynt a'r cerrynt cryf,
  Lle chwâl y fregus don,
Mae ynys hedd, lle nad yw neb
  Yn cofio briw y fron.

Ni chyrraedd doe i'w hafan hi,
  Ni ŵyr yfory'r fan,
Ac nid oes saeth a frathai neb
  A rwyfo'i gwch i'w glan.

Nid ynys gwsg Afallon yw
  Na hendre'r marw chwaith,
Ond cilfach ddiddos rhywun sydd
  Yn gorffwys yn ei waith.

Mi rwyfais neithiwr tua'i thraeth
  Â gofal lond fy mron,
Rwy'n codi angor gyda'r wawr
  Heb grych ar frig y don.

GWENT

Lle'r wylodd Ieuan Brydydd Hir
  Af innau mewn gorfoledd,
Mi af er cofio'n eitha fod
  'Mieri lle bu mawredd',
Er bod y llwybrau lle bu'r gân
  Yn lleoedd y dylluan,
Fe fyn fy nghalon fynd i Went,
  I Went ar waetha'r cyfan.

Can's credu rwyf, a phwy a wad?
  Y gwêl fy ngwenwlad eilddydd,
Ac yn y crud sydd heddiw'n wag
  Fe fegir mawredd newydd,
Ac os yw Gwent yn awr dan wg
  Mieri, drain ac ysgall,
Pan ddêl yr eilddydd—arni hi
  Y syrth y gawod friall.

AFON LLAN

Mae f'hiraeth yn ymglymu
  Wrth helyg ir ei glan,
A gwreiddiau fy mreuddwydion oll
  Yn ffrydiau Afon Llan.

Tarddasom yn y fawnog
  Yng ngwynfyd unig fan,
A byth er hyn ni bûm ymhell
  O sŵn hen Afon Llan.

Er crwydro hwnt ac yma
  Hyd eitha'r pedwar ban,
Rwy'n cysgu'r nos a deffro'r dydd
  Wrth erchwyn Afon Llan.

Aed eraill tros Iorddonen
  I'w bythol ddedwydd ran,
Mi laniaf yno 'mhell o'u blaen
  Trwy groesi Afon Llan.

Y BORDER BACH

Gydag ymyl troedffordd gul
  A rannai'r ardd yn ddwy,
Roedd gan fy mam ei border bach
  O flodau perta'r plwy'.

Gwreiddyn bach gan hwn-a-hon
  Yn awr ac yn y man,
Fel yna'n ddigon syml y daeth
  Yr Eden fach i'w rhan.

A rywfodd, byddai lwc bob tro,
  Ni wn i ddim paham,
Ond taerai 'nhad na fethodd dim
  A blannodd llaw fy mam.

Blodau syml pobl dlawd
  Oeddynt, bron bob un,
A'r llysiau tirf a berchid am
  Eu lles yn fwy na'u llun.

Dacw nhw: y lili fach,
  A mint a theim a mwsg,
Y safri fach a'r lafant pêr,
  A llwyn o focs ynghwsg,

Dwy neu dair briallen ffel,
  A daffodil bid siŵr,
A'r cyfan yn y border bach
  Yng ngofal rhyw hen ŵr.

Dyna nhw'r gwerinaidd lu,
  Heb un yn gwadu'i ach,
A gwelais wenyn gerddi'r plas
  Ym mlodau'r border bach.

O bellter byd rwy'n dod o hyd
  I'w gweld dan haul a gwlith,
A briw i'm bron fu cael pwy ddydd
  Heb gennad yn eu plith,

Hen estron gwyllt o ddant y llew,
  Â dirmyg lond ei wên,
Sut gwyddai'r hen droseddwr hy
  Fod Mam yn mynd yn hen?

O LANANDRAS I DYDDEWI

Rhowch y byd i'r neb a'i mynno,
  A'i drysorau maith o'r bron,
Aur ac arian, tai a thiroedd,
  Golud môr a daear gron,
Ymfodlonaf innau'n dawel
  Yn y nefoedd fach y sydd
O Lanandras i Dyddewi,
  O Gaergybi i Gaerdydd.

Gwlad a'i llethrau serth dan redyn,
  Gwlad a'i mawn dan flodau llin,
Gwlad a'i dyfroedd fel y llefrith,
  Gwlad digonedd, gwlad y gwin,
Rhowch i brydydd fyw a marw
  Yn ei hedd, a bodlon fydd,
Rhwng Llanandras a Thyddewi,
  Rhwng Caergybi a Chaerdydd.

Deffro wnawn bob bore'n gynnar
  Yng Nghaergybi bell pes cawn,
Galw eilwaith yn Llanandras
  Ar y goror cyn prynhawn,
Oedi yng Nghaerdydd a chwennych
  Tegwch llawer neuadd dlos,
A phenlinio i ddweud fy mhader
  Yn Nhyddewi gyda'r nos.

Yma llifa Afon Alun
  A brithyllod yn ei dŵr,
Yma saif hen adail santaidd
  Ac ysbrydion yn ei thŵr,
Mae angylion a gwylanod
  Yng Nglynrhosyn drwyddo draw,
Ac mae'r meirw a'r anfarwolion
  Yn Nhyddewi'n ysgwyd llaw.

ANGLADD YN Y DREF

Rhes ddiddiwedd o gerbydau,
  Neb yn gofyn pwy na ph'le,
Rhywrai'n hebrwng rhywun, rywle,
  Ydyw angladd yn y dre.

Ac er mynd ar hanner carlam,
  Cwyna'r llu mai araf yw,
Duw'n gwaredo rhag cael angladd
  Na bo ddim ond rhwystr i'r byw.

Rhowch i mi'r cynhebrwng gwledig,
  Pawb a allo yno 'nghyd,
Heol gyfan iddo'i hunan
  A'r diwrnod ar ei hyd.

CRAIG-CEFN-PARC

Ar Graig-cefn-parc fydd nemor neb
   Yn sôn am Gymrodorion,
Ar Graig-cefn-parc mae iaith fy mam
   Yn faeth ac nid yn foddion,
Nid oes un macwy yno chwaith,
   Ond llawer bachan apal
Yn caru'n dynn â chroten stans,
   A honno'n sgennes ddyfal.

Does yno neb â chot â chwt
   A het-bob-cam byddicion,
Ond dynion plaen yn carco'u gwaith
   A thalu'r clwb yn gyson;
Pawb yn berchen dillad parch
   A dillad gwaith a d'wetydd,
Yn ffond o'r rofften fach a'r ardd,
   Ac yn talu lawr rhag c'wilydd.

Prin yw'r rhai a ŵyr ddim byd
   Am orgraff a gramadeg,
Ond ar y Graig mae'r hen Gymraeg
   Yn ystwyth fel y faneg,
Pawb â gwely o gennin gwyrdd,
   A phawb â chawl i ginio,
Nid Cymrodorion sy ar y Graig
   Na, Cymry glân sydd yno.

AMSER GODRO

Rhaid mai amser godro oedd
    Pan own i'n croesi'r Bannau,
Cant a mwy o ffrydiau llaeth
    Yn torri dros eu glannau,
Ac afon lawn o lefrith gwyn
    A'i dylif dros y dolau.

Ac os caf rywbryd cyn fy medd
    Groesi'r Bannau eto,
Na foed newid ar yr awr
    Na'r wyrth a welais yno,
—Gwartheg duon lond y nef
    A hithau'n amser godro.

Y FILLTIR OLAF

Trowch i'r aswy, trowch i'r dde,
Chwi fforddolion prysur tre,
Rhowch i yrr o ddefaid gwlanog,
Plant y gwyllt oleddau gwelltog,
Filltir foel o briffordd tre,
Ar eu ffordd—chwi wyddoch b'le.

Trowch, a pheidiwch edliw chwaith
Gael eich rhwystro ar eich taith,
Nid oes un o'r lliaws gwirion
Na ddychwelai'n falch yr awron
I'w harhosfa yn y brwyn
Lle mae'r llu amddifaid ŵyn.

Trowch am eiliad fach neu ddwy,
Dyma'u milltir olaf hwy,
Ni ddaw'r un yn ôl ffordd yma,
Tyrru maent i'w corlan ola',
Nid i'r olchfa—mae'n rhy hwyr,
Nid i'w cneifio—Duw a ŵyr.

IFAN IFANS

Cymylau a thywyllwch oedd
  O'i gylch o hyd o hyd,
Ac er ei dynnu wrth ei glust
  Nis ceid i'r bont na'r rhyd.

76

Mab hwn-a-hwn a hon-a-hon
  Oedd Ifan, ebe fe,
Fe'i ganed ar y dydd a'r dydd
  Gerllaw y lle a'r lle.

Ond rywfodd, tua'r pryd a'r pryd,
  I Sir Forgannwg daeth,
Ac wedi byw'n y fan a'r fan
  Aeth pethau o waeth i waeth.

Fel hyn a'r fel y carai fyw,
  A theithio bro a bryn,
A gweithio wrth y peth a'r peth
  Am lai na hyn a hyn.

Ac wedi bod fel hyn a'r fel
  Am hyn a hyn a mwy,
Aeth yn ei ôl o gam i gam,
  I fyw'n y plwy' a'r plwy'.

Bu farw'n dlawd o'r peth a'r peth,
  A chladdwyd yn y llan,
Rhyw ugain troedfedd, fwy neu lai
  Tu hwnt i'r fan a'r fan.

O bant i bentan yma daeth
  Heb gael na chlwy' na chlod,
Ac yma mae ac yma bydd
  Am lawer dydd i ddod.

HER YR HENWR

A dacw'r hen fynydd a ddringwn gynt
    Pan oeddwn mor heini â'r hydd,
Y mynydd yn aros, yn aros fel cynt,
    A minnau'n rhyw symud bob dydd.

A gwn wrth ei olwg y gwêl fi ryw ddydd
    Yn myned i'm holaf daith
I huno lle huna hen achau fy mro,
    Heb neb a wêl f'eisiau chwaith.

Ond er imi gilio fel cysgod awr,
    Goroesaf bob mynydd a'i fri,
Aros i fyned mae'r mynydd mawr,
    Ond myned i aros rwyf fi.

MWG TÂN COED

O hir ymdroi ym merw'r dref,
Meddyliwn imi golli'r haf,
Hyd onid euthum echdoe'n hwyr
   I hen Wernogle goediog,
A'i gael yn esgyn tua'r nef
   Drwy simne Abernennog.

Pob glas a roes yr wybren hael
O Fai i Fedi hyd y fro,
Fe'i gwelwn yn y golofn fwg,
   Y golofn fwg fawreddog,
Ac wedi'i buro'n llwyr drwy dân
   Ar aelwyd Abernennog.

Yn beraidd darth o ddulas wawr
Y dyrchai'r mwg uwch melyn ddail,
Ac yna'i chwalu gan y gwynt
   Drwy'r nef yn gnu hedegog,
Felly yr oedd yr haf pan âi
   Drwy simne Abernennog.

CAETHGLUD YR EBOL

Echdoe, ar y Frenni fawr,
Mor rhydd â'r dydd y'm ganed,
Prancio'n sŵn y daran groch,
A'm mwng yn wyn gan luched.

Neithiwr, gyda Jaci'r gof,
Yn gwylltu'n sŵn yr einion,
A ffwrdd â mi wrth reffyn tyn
I'm gwerthu'n rhad i borthmon.

Heno, ar olwynion chwyrn,
Yn mynd—heb symud gewyn,
A chlawdd a pherth a chlwyd a chae
Yn dirwyn heibio'n llinyn.

Mynd yr wyf heb wybod b'le,
Na deall iaith y porthmon,
Ond gwn nad hon oedd iaith y gof
A'm molai wrth yr einion;

A gwn, pe cawn fy nhraed yn rhydd
A'r rheffyn hwn yn ddatglwm,
Mai'n ôl yr awn i gyda'r wawr
I'r Frenni fawr ddiorthrwm;

Lle mae'r hedydd bach a ddôi
Hyd at y brwyn i'm deffro
Lle mae'r nant a neidiwn gynt
Pan own i'n ebol sugno.

War yng ngwar â'r ebol broc
Sy'n pori'r hen oleddau,
Yno carwn innau fod
A'r borfa dros fy ngharnau.

Cofiaf byth y gynffon hir
A'r llethrau ir di-berchen,
Tra bo gwinau 'mlewyn byr,
A seren ar fy nhalcen.

Ffarwél byth, y Frenni fawr,
Yn iach, fy nghyd-ebolion,
Gwae i minnau weld na gof,
Na ffrwyn, na ffair na phorthmon.

Y DDAFAD HONNO

Ym Mlaenau gwyllt Cwm Garw'r own,
  Rwyf bron â bod yn siŵr,
A golau'r lloer ar feddau llwm
  Llangeinor falch ei thŵr.

Pan drois i'm gwâl nos Sadwrn blin
  A gorwedd yn fy hyd,
Ac yna cysgu, cysgu'n braf
  Wrth erchwyn eitha'r byd,

Hyd oni ddaeth rhyw ddafad wyllt,
  Wn i ddim byd o b'le,
Ond hi oedd piau'r nos i gyd
  A phopeth dan y ne.

Fe frefai ac fe frefai ac
  Fe frefai, gwarchod fi,
Fel petai neb a wyddai ddim
  Am hiraeth ond hyhi.

A dyma unig oen y byd
  O ddrain a drysi'r cwm
Yn brefu ar unig fam y byd
  I'w nôl o'r ceunant llwm.

Ffwrdd â hithau tua'r fan
  Gan redeg nerth ei thraed,
Fe redodd ac fe redodd fel
  Na redodd neb erioed.

Ac yna nid oedd ddafad mwy
  Nac oen ar fryn na dôl,
Ac yn y dwfn ddistawrwydd mawr
  Mi gysgais yn fy ôl.

CWYN Y CYNYDD

'Chlwyfai'r undyn gwerth ei halen
  Bryf yn gorwedd ar ei wâl,
Dyna'r gyfraith a'r proffwydi
  Yn ôl cynydd Ffrwd-y-fâl.

Ond gorweiddiog, analluog
  Yntau'r cynydd er ys tro,
Arall sydd yn ffusto'r llwyni
  Ac yn gweiddi, 'Tali-hô!'

Ac ni waeth gan angau creulon
  Am un pryf o Ffrwd-y-fâl,
Duw fo dirion wrth hen gynydd
  Wedi'i glwyfo ar ei wâl.

DAFYDD SHÔN
(adeg etholiad)

Ni wyddai neb lle'r oedd ei drig,
  Ni byddai neb amdano'n sôn,
Ond erbyn hyn mae tramwy mawr
  I'r heol gefn at Dafydd Shôn.

Daw rhai ar droed a rhai mewn ceir,
  Pob un â'i stori bert ddi-daw,
A Dafydd, druan, erbyn hyn
  Bron blino'n lân ar ysgwyd llaw.

Mae Dafydd Shôn fel hyn a'r fel,
  Mae Dafydd Shôn yn glamp o ddyn,
A dweud y gwir, mae Dafydd Shôn
  Yn llawer gwell nag ef ei hun.

Ond doed a ddelo i'r heol gefn,
  Camp fawr fydd twyllo Dafydd Shôn,
A boed y stori'r peth a fo,
  Mae'r gwalch yn gadarn yn y bôn.

Pan ddêl dydd Mawrth cei'i weld yn mynd
  Yn dawel bach ym min yr hwyr
A dodi'i onest groes o blaid—
  Wel, Dafydd Shôn ei hun a ŵyr.

Ac ni ddaw neb i'r heol gefn
   Ac ni bydd neb amdano'n sôn
Am lawer blwyddyn gyda hyn,
   Ond Dafydd Shôn fydd Dafydd Shôn.

YR ALARCH

Gyda'r wawr ar ganol llyn,
Megis delw o farmor gwyn,
   Wrtho'i hunan
Yn ei unfan, brydydd syn.

Weithiau'n syllu tua'r lan,
Ond yn fodlon ar ei ran
   Am na chenfydd
Ei hefelydd yn un man.

Gyda'r hwyr, yn drwm ei lun,
Yn ei hafan hesg y glŷn,
   Yn noswylio
A breuddwydio amdano'i hun.

Y DOCTOR T. GWYNN JONES

Byth nis anghofiaf, byth; y llygad glas
Lle byddai'n doriad gwawr bob awr o'r dydd,
Glasach na dwfr y llynnoedd tawel sydd
Ym mangre lonydd ei Iwerddon fras;
Nid mwg ei getyn poeth na'i chwerthin ffraeth
A bylai'r drem a frathai megis saeth.

Plentynnaidd syndod Betws dlota'r tir,
Aruthredd bro Hiraethog wyllt, ddi-goed,
Ehangder paith nas troediodd neb erioed,
Afallon a'i diollwng ddisgwyl hir,
Tanbeidrwydd haul Yr Aifft ar dywod cras—
Gwelwn y cyfan yn y llygad glas.

Syrthiodd yr amrant; ond y lachar wawr
Yn torri ac yn glasu odano gynt,
—Fe'm dilyn ac fe'm herlid ar fy hynt
Hyd onid elo'n haul heb-fynd-i-lawr;
A'm hamrant innau ynghau dan fferrol ias,
Caf weled ac fe'm gwêl y llygad glas.

CWYMP CEDYRN YR ALLT
(Rhyfel 1939)

Hiraethu'r wyf ar riw a thro
O'u gweld yn mynd i'w harwyl hir,
Y deri a'r gwern, y llwyf a'r ynn,
   Canwriaid tal y tir.

O gwm a glyn a blaenau gwlad
Carlama'r angladd ar ei daith
Heb orchudd tros yr elor hyll
   Na'r un galarwr chwaith.

Barnwr y weddw dlawd a Thad
Amddifaid llwm yn dyner fo
Wrth ddiamddiffyn adar llwyd
   A gollodd glwyd a tho.

Ac wedi dydd yr aflwydd tost,
Heb neb a alwo ddu yn wyn,
Na foed yn angof aberth mawr
   Y lladdedigion hyn.

CAPEL BACH Y MAENDY
(Bro Morgannwg)

O fyd y mân ofidiau fyrdd
Fe euthum tua'r Maendy,
Yr hen dŷ cwrdd yng nghornel cae
  A llwyni cnau o'i ddeutu,
Er gwynt a glaw ni syfl ei do
  Na'i fur o gadarn feini,
A haen o galch o Aberddô
  Yn raenus hyd y rheini.

Roedd yno olwyth mawr o dân
  A bwrdd a chamrig drosto,
Can's yma unwaith yn y mis
  Bydd gwledd i'r neb a'i mynno,
Ac er nad oedd y lle dan sang
  Roedd yno rai a honnent
Y byddai'n orlawn oni bai
  Fod clo ar glwyd y fynwent.

Yn hwyr y dydd wrth ganu'n iach
  I gorlan fach y Maendy,
Doedd arnaf fawr o awydd mynd,
  Ac anodd iawn fu cefnu,
Fe gofiwn dân a chamrig gwyn
  A mynd ar hen emynau,
Ac erbyn hyn roedd golau'r lloer
  Ar borfa oer y beddau.

ABERAERON

Pan drois i'm gwâl roedd Aeron
  Bron am y mur â mi,
Hithau'n crio hefyd
  Am wely yng nghôl y lli.

Aeth dan yr hen bont garreg
  Heibio i'r geulan glai,
A'r llongau bach wrth angor
  Yn cofio'i bod hi'n drai.

Pan godais fore trannoeth,
  Nid afon wan ei chri,
Ond llanw cryf y cefnfor
  Oedd am y mur â mi;

A llongau bach y glannau'n
  Ymsymud ar ei war,
A llawer hwyl a gwylan
  Yn hofran uwch y bar.

Na, nid yn Aberaeron
  Yn unig, mawl i'r Iôr,
Y cysgais ar drai afon
  A deffro ar lanw'r môr.

DARBI

O'r gweddill bach carnolion
   Rhwng Senni a Dyffryn Nedd,
Mae Darbi'n awr yr hynaf
   O'r hen geffylau gwedd,
Fe ŵyr am ffair a marchnad
   A rhiwiau'r gefnffordd gul,
Ac ef o bawb yw'r cyntaf
   Ym Mrychgoed fore Sul.

Ond mynd i ddweud yr own i
   Imi'i weld e bore ddoe
Yn cywain cnwd y weirglodd
   A chymryd ambell hoe,
Y gwybed am ei ddeuclust
   A'i enau'n ewyn gwyn,
Ei war yn chwys diferu
   A'r tresi i gyd yn dynn.

Rhyw orlwyth mawr dan raffau
   Yn perarogli'r fro,
A llwyn a pherth yn dwgyd
   Rhyw dusw ambell dro,
Nes cofiodd Darbi a minnau,
   O ffroeni'r hyfryd wynt
Am ddydd pan oedd e'n ebol
   A minnau'n hogyn gynt.

Ond gan fod dannedd Darbi
  Ymhlith y pethau a fu,
I bwy mae'r llwyth a lethai
  Yr hen anifail cry'?
I'r anner goch, mae'n debyg,
  Ac yntau'r ebol blwydd,
Wel, rhyngddy' nhw am hynny,
  Ond Duw i Darbi'n rhwydd.

ABERTAWE

Mae Abertawe yn yr haul
Yn cysgu'n dawel ger y lli,
Traeth o aur o gylch ei thraed
A Browyr wrth ei hystlys hi,
    Caed a fynno'r
    Tyrau marmor,
    Abertawe i mi.

Fe ŵyr holl wamal longau'r lli
Fod iddynt yma wely clyd,
Cysgod ac angorfa saff
Er hwylio o bellterau byd,
    Mae pob llanw
    Yma'n bwrw
    Ei drysorau drud.

Golud prid y coffrau cudd
A ddaw yma'n llwythi llawn,
Olew Persia, mwnau Sbaen,
Cnwd gwinllannoedd Groeg a'i grawn,
    Rhadau tirion
    Tyre a Sidon
    Ar bob llaw a gawn.

Llundain, Rhufain, Paris falch
—Abertawe i mi bob tro,
Tref fy mebyd cynnar yw,
A gwroniaid yn ei gro,

Heniaith seinber
Ieuan a Gomer
Eto yn y fro.

Mae Abertawe yn yr haul
Ar waethaf barn y teirnos dân,
Y traeth yn aur o gylch ei thraed
A moliant yn ei themlau glân,
    Duw a'i nodded
    Ddalio i arbed
    Abertawe lân.

WILLIAM HEN
(Hen Wyddel chwe ugain oed)

Dechreuodd William fynd yn hen
  Ryw hanner canrif faith yn ôl,
Ac erbyn hyn ei drwyn a'i ên
  Sy'n llawer nes i'w gilydd;
Ei gydymdeithion yn y llan,
  Ac yntau'n byw'n dragywydd,

Fe gofia gloddio'r tywarch mawn
  I godi'r hendy bach lle trig,
Ac yno mae ers dwy oes lawn
  Yn bwyta, deffro, a chysgu,
A mwmian hen ganeuon gwlad
  Nad yw yn cofio'u dysgu.

Myn rhai fod carreg fedd yn awr,
  Yng nghornel isaf llan y dref,
Y fan lle rhoed â galar mawr
  Ryw eneth o Gilarni,
A dwy lythyren enw'r ferch
  A garai William arni.

Pan ydoedd William gynt yn byw
  —Cyn iddo ddechrau mynd yn hen,
A chrymu o'i war a cholli'i glyw
  A chadw'i gornel druan,
Efengyl ddieithr iawn i rai
  Oedd ar ei dafod buan.

Melysaf atgof yr hen walch
    Oedd dathlu concwest Waterlŵ,
A ffusto'r drwm yn hogyn bach,
    A phawb ar fin gwirioni,
A meddwi'n chwil ar gwrw coch
    Y dydd y trechwyd Boni.

A byddai ganddo ryw rith co,
    Am ddigwyddiadau dof ei ddydd,
Sef ambell danchwa mewn gwaith glo,
    A chofiai enw'r ffeirad,
Er nad oedd wyneb William chwaith
    Ac yntau i'r un cyfeiriad.

'Rôl bwyta deirgwaith yn y dydd,
    A chlwydo'r ieir a bwydo'r moch,
A thyngu llw o sêl i'w ffydd
    Ym mharlwr bach yr 'Arad',
Ni farnai'r henwr nemor ddim
    O werth fel testun siarad.

Addefai iddo glywed sôn,
    Am orchest Lincoln fawr ei fri,
A channwyll lachar Livingstone
    Ar Affrig yn tywynnu;
Ni phrynodd William fochyn gan
    Y naill na'r llall, er hynny.

95

Cofiai am Sankey bêr ei gân,
    A Moody'n ffaglu'r wlad o'i gylch.
Ond barnai William na fu'r tân
    A ddaeth i'r Ynys drwyddyn'
O unrhyw niwed iddo ef
    Na'i datws am y flwyddyn.

A dyna frwydr boeth yr ŷd
    A'r werin yn newynu bron,
Fe daerai'r patriarch draws y byd
    Tra oedd y cledi'n para
Na welodd ef ddim eisiau bîr
    Na llin na gwlân na bara.

Fel hyn, a'r byd yn colli'i ben
    Ar ddyfais newydd bron bob dydd,
A'i bentwr llyfrau hyd y nen,
    A pherygl dysg ar gynnydd,
Ni flinir William gan y boen
    Ddim mwy na merlyn mynydd.

A rhywrai'n hollti ffordd drwy'r rhew
    A'r ôd i fro'r pegynau pell
Er mwyn eu cyfri'n ddynion glew
    Gan blant y wlad a'u maco,
Ni cheisia William fwy na nerth
    I gnoi ei fwyd a'i faco.

O flaen ei dân, ac fel ei dân,
  Mae William hen yn llosgi i ben,
O fewn ei dŷ, ac fel ei dŷ'n
  Dadfeilio'n brysur, brysur,
A'i oedran mawr a'i bensiwn bach
  Yn ofid ac yn gysur.

Ni ddaw'r gorwyrion erbyn hyn
  A gofyn ganddo ddod i'r llan
I ddangos iddynt dan y chwyn
  Y fan lle cwsg eu tadau,
Na nemor neb a'i temtia'n awr
  I ganu'i hen ganiadau.

Preimin a ffair, ni wêl mo'r un,
  Na gwin na galar gwylnos chwaith
Cyn symud carreg fedd y fun
  Sy'n huno yng Nghilarni,
Ac wedi'r angladd ni bydd mwy
  Na dwy lythyren arni.

Y SYCHDER MAWR

Mae gwellt y rofften fach yn grin,
  A'r graig o fewn i ddim yn eirias,
A choed yr allt yn syllu'n syth
  I lygad Arglwydd Dduw Elias.

Onid oes Dduw a drugarha
  O weld yr helyg yn ei alar,
A'r haf yn llosgi'i blant ei hun,
  A chrygni ar y gornant lafar?

Yr ŷd yn brydlon yn y fâl,
  A'r oriau'n hir gan ddisgwyl diflas,
Pa le mae'r rhod a dry y dŵr—
  Pa le mae Arglwydd Dduw Elias?

YR HOELION WYTH

Gymru annwyl, paid ymffrostio,
  Nid i ti mae'r clod i gyd
Na bai'r proffwyd wedi d'ado
  Am esmwythach, brafiach byd.

Ti roist iddo lwyfan llydan
  Sasiwn a chymanfa fawr,
Ac o dan y tafod arian
  Gwelais di yn torri lawr.

Llawn fydd byrddau'r wledd lle'r elo,
  Braster meddwl drostynt red,
Bwrdd ei gartref—sut mae yno,
  Gymru, sut mae yno dwêd?

Gwisg bob meddwl coeth a syniad
  Oll mewn sidan main o'r bron,
Ond y wisg a roddi i'th gennad—
  Digon llwyd yn aml yw hon.

Mwyn ei wrando pan gaiff awel,
  Awel o Galfaria fryn,
Ond y stormydd yn y dirgel—
  B'le rwyt ti, fy ngwlad, bryd hyn?

Myn dy sasiwn a'th gymanfa,
  Myn dy nefoedd, Gymru wen,
Ond bydd dirion, nac anghofia
  Broffwyd pan fo'r ŵyl ar ben.

PENYD Y BARDD

'Ac er hynny hyd y dydd heddiw, ni welais ac ni throediais
mo ymylon Môn nac ychwaith un cwr arall o Gymru.'
—Llythyrau Goronwy Owen

O, blentyn yr Awen ddihalog,
  Mae 'nghalon yn friw uwch dy ffawd,
Yn gweld fod dy gân mor gyfoethog
  A thithau dy hunan mor dlawd.

Wrth ddarllen dy gywydd hudolus
  Rwy'n gwledda ac wylo'r un pryd:
Dy awen forwynig mor felys,
  A thithau mor chwerw dy fyd.

Os cynnyrch dy hiraeth y cerddi,
  Boed Gronw a Môn ar wahân,
Pe caet dy ofuned a thewi,
  Mi dorrwn fy nghalon yn lân.

Na cheffid y cochwin chwerthinus
  Heb waedu'r winwydden hardd,
A gorau yr awen soniarus
  Heb ddryllio calon y bardd.

Y drain sy'n dy frathu mor waedlyd,
  Mi losgwn bob cangen yn lân,
Pe gwypwn na losgwn i hefyd
  Ffynidwydd a myrtwydd y gân.

SIORS

Ar flaen y gwynt ac fel y gwynt,
Heb neb a wyddai ddim o'i ach,
Y daethai Siors i'r Felin Fach
   Ym mrig y nos o rywle,
A'i gael ynghwsg ar daflod wair
   Yn chwyrnu ryw ben bore.

Tipyn o bawb a phopeth oedd
O ran ei berson, gwisg ac iaith,
Gweddillion bratiog llawer taith
   Yn ogoneddus dryblith,
Rhyw filoedd o ddamweiniau mân
   Yn un digwyddiad lletchwith.

Hercwlffyn tal o anferth faint
Â syched trwm a llygad craff,
Yn berchen pâr o ddyrnau praff,
   A phen-ymladdwr cyndyn—
Gwêl groniclau gweithydd dŵr
   Cwm Elan a Llanwddyn.

"Triswllt y dydd, ar dy fwyd dy hun
Am gwympo'r coed a sychu'r gors,
Beth wedet ti am y gyflog, Siors?"
   Talsythodd yr hen fachgen,
Ac wedi llwyr lygadu'r maes
   Fe drawodd yntau'r fargen.

Cyweiriwyd cell yng nghysgod perth,
O dywarch glas a dellt a drain,
A phlethu to o wiail main
　Yn nefoedd i'r hen nafi,
Cariadfab yn ei wynfyd oedd,
　A'r ddôl oedd ei ddyweddi.

Haf a gaeaf, fore a hwyr,
Dyrnu arni â chaib a rhaw,
Herio'r gwynt a herio'r glaw
　A moelyd hen ymylon,
Braint oedd gorffen gwyrth yr Iôr
　Yng ngoror Dyffryn Aeron.

Ei arswyd ar gorsennau oedd
A chrinai'r drysi dan ei drem,
Gwridai min y fwyell lem
　Gan waed ei lladdedigion,
A sychai'r mân oferydd sur
　O dan ei hudlath radlon.

Ar ben dau haf roedd llanc o was
Yn tynnu cwys ar draws y llain,
Ac wrth ei sodlau haid o frain
　Yn blasu'r sglyfaeth felys,
A chyda hyn wylanod gwyn
　Ym mrig y grynnau graenus.

Fyth er hynny ni bu dydd
Na welid ebol gwisgi ac oen
Yn pori a phrancio yn eu hoen
    Ar hyd y ddôl hawddgaraf,
Ac yn ei dymor, ganol haf,
    Lawenydd dydd cynhaeaf.

Ond nid oes gell ac nid yw Siors
Yng nghwr y rhandir erbyn hyn,
Aeth yntau yn ei dro drwy'r glyn
    I huno yn Llan yr Ystrad,
A'i goffa'n wyrdd ym mhorfa'r ffridd
    Hyd ddydd yr Atgyfodiad.

A phan gynullo'r Barnwr mawr
Holl feibion dynion ato 'nghyd,
Capteniaid a brenhinoedd byd,
    A'u rhoi o dan eu coron,
Fe gofir Siors a gwyrth y gors
    Ar ymyl Dyffryn Aeron.

YR HEN DÂN MAWN

Wel, diolch byth am dŷ to cawn
  A thân o fawn i ymdwymo,
Rwy'n folon byw am byth fel hyn—
  Fy mwthyn bach a Matho.

Fe welsom, Matho, lawer loes
  A gwyntoedd croes a geirwon
Er pan yr aem i fawna'n dau
  Ar gyrrau cors Tregaron.

Torri mawn yr oet ti, Math
  Rwy'n cofio'r awr a'th ymgom,
Pan wnaethom lw tra rhedai'r dŵr
  Na ddelai'r ungwr rhyngom.

Yr hedydd ganai uwch ei drig
  A'r gwcw ar frig y bedw,
A ninnau'n ddedwydd, dedwydd iawn
  Rhwng teisi mawn Pentwsw.

A dyma ni o hyd mewn hedd,
  'Rôl deugain mlynedd hwylus,
Mor bles â "dynion mawr" y plwy',
  A'n harlwy'n ddim ond barlys.

Wel, diolch byth am dŷ to cawn
  A thân o fawn i ymdwymo,
Rwy'n fodlon byw am byth fel hyn—
  Fy mwthyn bach a Matho.

Y DDWY NANT

Yn Nant-y-glo, yng ngwlad y mwyn,
Mae'r hen Gymraeg yn llwyd ei gwedd,
A dweud y gwir, nid oes yn awr
Ond ambell ddiraen garreg fedd
Yn Nant-y-glo, yng ngwlad y mwyn,
    A ŵyr Gymraeg.

Yn Nant yr Eira, gwlad y mawn,
Mae'r hen Gymraeg yn dal ei thir,
Fydd yno neb yn rhegi byth,
Na neb ychwaith yn dweud y gwir
Yn Nant yr Eira, gwlad y mawn
    Ond yn Gymraeg.

ELFED: Y CWMWL DYFRADWY

Pan oedd ffynhonnau'r dyfroedd byw
Ar fynd yn hesb a'r borfa'n grin,
Y deri balch yn crino i'r gwraidd
A dŵr yn uwch ei bris na'r gwin,
Daeth cwmwl Duw, y llawna erioed,
I'r wybren dân uwch Blaen-y-coed.

Ni bu'i arhosfa yma'n hir,
Eithr ei symud gan y gwynt
—Rhyw esmwyth wynt fel awel haf,
I gonglau'r nefoedd ar ei hynt,
Waeth ai ym Môn ai Mynwy draw,
Lle byddai'r cwmwl byddai glaw.

Nid glaw taranau trwm a mellt
Yn herio argae, caer a ffos,
Ond tyner law'n gawodydd mân
A thawel megis gwlith y nos,
A gardd a gwrych a gwellt y ddôl
Yn glasu a gwenu ar ei ôl.

Bryd arall, ymlonyddu'n ddwys
A'r gwersyll dan ei adain fawr,
Ac weithiau ei ogoniant claer
Yn llenwi'r demel, lofft a llawr,
Ac yno hefyd byddai Ef
Sy'n marchog ar gymylau'r nef.

Ar lan y bedd ym Mlaen-y-coed
A'r wybren yn fygythiol glir,
Ofnais rhag dod o'r sychder mawr
Drachefn a thagu'r egin ir;
Darfu Elias, pery'r môr,
Elfed nid yw, ond saif yr Iôr.

DAFFODIL

Bûm o fewn i ddim â pheidio
   Mynd i Benfro, er fy ngwadd,
Wrth ei weled mewn gogoniant
   Ar y ford mewn ffiol nadd,
Tusw o'r daffodil melynaf
   Na bu'n Eden ddim mor dlws,
Aur a brynais, braidd na wridaf,
   Er tair ceiniog wrth y drws.

Ond ym Mhenfro, dyn a'm helpo,
   Gwlad y daffodil yw hi,
Mil o filoedd, myrdd myrddiynau
   Ym môn llwyn a min y lli,
Rhwng yr efrau gwyllt yn dryfrith,
   Ger y ffynnon dardd a'r ffos,
Daffodil ar feddau'r meirw
   Daffodil ar glawdd a chlos.

Bron na yrraf air a d'wedyd
   Nad af adref i Gaerdydd,
A chyweirio 'ngwely yma
   Ar y rofften rhwng y gwŷdd,
Lle mae Rhywun wrthi beunydd
   Yn hau'r fro â gwyrthiau tlws,
Lle daw'r daffodil bob bore
   —Heb ei gario, at y drws.

YR HAMDDEN FACH

Un peth a geisiaf—hamdden fach
  Pan fyddo f'oes yn bwrw'i dail,
I daflu trem dros daith a fu,
  A chyfri'r draul cyn mynd i'r ail.

A mynd am dro ar bwys fy ffon
  I weled rhamant bwlch a dôl
Lle rhedais gynt mewn gormod brys
  Ac addo, rywbryd, droi'n fy ôl.

A chwrdd ar ddamwain â'r hen ffrind
  A aeth, drwy gynnen fach, mor bell,
Ac ysgwyd llaw a'i gwasgu'n dynn
  Heb yngan gair—a theimlo'n well.

Ac yna wedi'r hamdden fach,
  Cael ymryddhau o'm hoffer gwaith,
A huno'n sŵn fy mhader byr
  Cyn cychwyn eto ar fy nhaith.

NED

Mae Ned y bugail, yntau'n mynd,
Yn ara deg yn mynd yn hen,
A bylchau llydain yn y farf
Oedd megis rhaeadr dan ei ên.

Rhyw ddisglair-foel yw'r corun llyfn
A fyddai gynt fel tonnog allt,
Ond pery yntau fel erioed
I dynnu'i arw law drwy'i wallt.

I ffald yr angau, ddiwedd oes,
Ni ddaw na Ned na'i ddefaid chwaith
Heb adael llawer iawn o'u cnu
Ar lwyni drain a drysi'r daith.

YR YSGUBOR

Pe collwn wyneb f'Arglwydd
  Drwy'r gwanwyn tirf a'r haf,
Mi wn pan ddelo'r hydref,
  Mi wn y fan lle'i caf.

Nid ar y twyni sofol,
  Nid yn y gelli werdd,
Ac nid yng nghorau'r demel
  Lle cân holl ferched cerdd.

Eithr yma yng nghwr y buarth
  Rhwng muriau lliw y calch,
Lle nytha'r wennol alltud,
  Lle clwyda'r ceiliog balch.

Yn arogl gwair a rhedyn
  A chynaeafus rawn,
Yma y caffwn f'Arglwydd
  Ar lawr y cyntedd cawn.

Y TÂN CYMREIG
(Penrhaw)

Ar ôl y dogni mawr a fu
   Ar bopeth hyd at bapur,
Dogni bara truan ddyn,
   Y cosyn a phob cysur,
Yna dogni'r telpyn glo,
   Wel, dyma dro annifyr.

Yng Nghymru gynt fe fyddai'r gân
   A'r tân, y ddau'n cydredeg,
Ac nid oedd pall ar hwyl na gwres
   Na chwyno am ychwaneg,
Glo rhwym, glo rhydd, glo mawr, glo mân,
   Glo cymysg a glo carreg.

Ond diolch fyth, pan ddarffo'r glo
   Ac na bo mawn ar fynydd,
Mae tân ym mron pob Cymro glew,
   Nid gwynt na rhew a'i diffydd,
Tân o'r Nefoedd wen, a Duw
   Ei hunan yw ei danwydd.

Y tân o'r Wern, pan gyfyd storm,
   Fe lysg yn fil mwy eirias,
Ac yn y ddrycin, coelcerth fawr
   Yw tramawr ddoniau Christmas,
Ni chwelir gwrid, ni chilia'r gwres
   O gynnes fflam Elias.

MORGANNWG
(Gwlad y Glo)

Utgyrn yn canu a dyrnu mawr ar y drwm,
Tonc ar y Sosban Fach, emyn neu ddau,
Cenhinen las ar ucha'r post ynghlwm,
Pawb yn bleidiol i'w wlad a'r bur, hoff bau.

Dacw nhw allan, tîm y siersi goch,
Pymtheg o wŷr Morgannwg, brwd eu nwyd,
Trigain mil yn dyrchafu'r gadlef groch
A Chymru oll yn gwrando tu faes i'r glwyd.

Ennill y tòs, ac wele'r bêl yn y gwynt,
Cyrch, ysgarmes a chwymp, ymnyddu'n y baw,
Lloegr ar ras, ond y siersi goch ynghynt,
A'r bêl yn chwarae fel gwennol o law i law.

Sgrym, ymglymu a throi, a chwffio ar slei,
Pwy gaiff y bêl? Munud neu ddwy sydd ar ôl,
Ond, dyma rywun o'r Bont yn sgorio trei,
A rhywun o'r Rhondda'n anelu—a chicio gôl.

A dyna dy ffawd erioed, Forgannwg wen,
Llawer ysgarmes a thithau'n ennill y dydd,
Aml i gwymp, ac eilwaith codi dy ben
I ymladd a chware'r gêm a chraith ar dy rudd.

Y CYMUN CYNTAF

Dwy'n cofio'r un mymryn am bregeth
  Y gennad a'i beraidd ddawn,
Ond O, roedd hi'n oedfa rhwng popeth,
  A'r hen gapel bach yn llawn.

Dwn i ddim pwy fu'n golchi'r lliain
  Nac yn gloywi'r llestri chwaith,
Row'n i'n meddwl fod angel purlan
  Yn rhywle ar gyfer y gwaith.

Y tadau, pob un am y pura',
  Heb un ddafad ddu yn eu plith,
Y lliain cyn wynned â'r eira
  A'r llestri mor ddisglair â'r gwlith.

Oes, mae llawer blwyddyn er hynny,
  A'r gweinidog ers tro yn fud,
Ond mae'r llaw a'm derbyniodd yn gwasgu,
  Yn gwasgu fy llaw i o hyd.

Mi dorrais o'r bara fy hunan
  'Rôl hynny mewn dychryn a braw,
A diolch i Rywun—mae'r cwpan
  Yn para i grynu'n fy llaw.

NOS SADWRN Y BARDD YN LLOEGR

Lle mae Seimon Jôs, Tŷ Capel,
   Wrthi'n sbio o b'le mae'r gwynt,
Lle mae ieir fy modryb Elen
   Wedi clwydo awr yn gynt,
Tuag yno'n dawel heno
   Hed fy meddwl ar ei hynt.

Gwn fod rhywun wrthi'n sgubo
   Buarth llydan Rhyd-yr-ynn,
Ac na welir arno soflyn
   Na rhedynen gyda hyn,
A bod trothwy'r tŷ-drws-nesa'
   Wedi'i sialco'n hyfryd wyn.

Braidd na ddaliwn hanner coron
   Gydag undyn yn y fro
Fod Wil Puw, y codwr canu,
   Dros yr anthem yn rhoi tro,
Ac mai gyda'r hen Joseffus
   Y mae yntau, Josi'r go'.

Fe â pawb i'w wely'n dawel
   A bydd tangnef ym mhob tŷ
Pan geir sicrwydd fod Jôs, Saron,
   Wedi croesi'r Mynydd Du,
O, mae hiraeth yn fy nghalon
   Am Sadyrnau'r dyddiau a fu.

WRTH Y TÂN

Yma'r oedaf uwch marwydos
Ger y pentan diddan, diddos,
Tario'n hir er oerni'r hirnos
    Heno wrth y tân.

O mae'n ddifyr, ddifyr heno,
Nid yw'r hwyl na'r oriau'n treulio,
Nid yw blinder yn fy mlino
    Heno wrth y tân.

Hen feddyliau gwell nag annwyl,
Ffrindiau d'wysged heb eu disgwyl
Yn dynesu i gadw noswyl
    Heno wrth y tân.

Nid oes elyn, nid oes alaeth,
Nid oes sorod, nid oes hiraeth,
Na mawr wylo rhag marwolaeth
    Heno wrth y tân.

Nid wy'n dlawd er maint fy nhlodi,
Nid wy'n hŷn, nid wy'n dihoeni,
Nid yw'n hwyr ac nid yw'n oeri
    Heno wrth y tân.

ROBYN TŶ'R ABAD (detholiad)

Robyn Tŷ'r Abad, hen fachgen iawn,
Dau ddwrn fel morthwylion a chroen lliw'r mawn,
Un o feibion Anac os bu neb erioed,
Cyn iached â'r gneuen yn drigain oed,
Yn bwyta ei lwfans—dim mymryn yn llai,
Cysgwr rhagorol, a chwyrnwr, medd rhai,
A llawer yn haeru
Na welid byth gladdu
Robyn Tŷ'r Abad—y byddai ef byw
Pan syrthiai y cedrwydd a'r deri a'r yw.

Doedd fawr iawn ym mhen yr hen Robyn, mae'n wir,
Ni wyddai ryw lawer am ddim—ond am dir,
Moch a cheffylau, y llanw a'r trai,
Ffair Calan Gaeaf a ffair Calan Mai,
A phroffwydoliaethau almanac Mŵr,
Ond na ddiarhebed neb byw mo'r hen ŵr;
Roedd oged ac arad
Robyn Tŷ'r Abad
Dan fendith y nefoedd ble bynnag y'u caed
A'r meillion yn tarddu lle sangai ei draed.

Dacw fe wrthi ar lechwedd di-raen,
O dalar i dalar yn ôl ac ymlaen
Yn canlyn y wedd yn yr awel lem,
A'r eithin yn crino o dan ei drem,
Hyd oni fydd wyneb y gwndwn di-lun
Mor raenus ag wyneb y nefoedd ei hun;

Gwaith Robyn Tŷ'r Abad,
Dau geffyl ac arad.
Robyn Tŷ'r Abad ddi-ddysg, meddech chi,
Ond mae rhywbeth yn Robyn, os credwch chi fi.

Dewch allan drachefn tua diwedd haf
I weled y tywys yn tonni'n braf,
Melyn ŷd lle bu drysni a drain,
A'r gwenyn yn murmur ar draws y llain;
Un o wyrthiau Duw ebe'r proffwyd a'r bardd;
Wel, ie, mae'n debyg,
Ond heb fod yn haerllug,
Beth am yr hen frawd a fu'n trin y glog,
Robyn Tŷ'r Abad a'i arad a'i og?

Yna ym Medi a'r gwenith dan do,
I gapel a llan fe â pawb drwy'r fro,
I foli Rhagluniaeth am gofio'n eu rhawd
Ddyn ac anifail, cyfoethog a thlawd,
Gan ddiolch am heulwen a glaw a gwlith,
A'r brenin a'r senedd, wrth gwrs, yn eu plith;
Ond neb fyth yn cofio,
Na neb yn breuddwydio
Am foli'r hen Robyn am eiliad neu ddwy,
—Am fod Robyn, mae'n debyg, yn byw yn y plwy'!

Y GOG

Dy ddisgwyl bûm, aderyn mwyn,
Disgwyl nes anobeithio bron;
Pa beth a'th gadwodd ar dy rawd
Rhag dod mewn pryd y flwyddyn hon?

Ac er dy ddod, ni ddoi ychwaith
I'r llwyni dail sy' ger Llandaf,
Ond pensyfrdanu ar Gefn Onn
Ac wylo-ganu'n dderyn claf.

Nid beio'r wyf, ymwelydd prudd,
Pe bai i minnau araul fro
Ni'm temtiai ddim i groesi'r dŵr
A dod i Gymru eleni am dro.

Gwae iti ddod lle nad yw'r haf,
Er cyd y dydd, ond gaeaf oer,
A pherchen pob rhyw adain ddur
Yn gwanu'r nef wrth olau'r lloer.

A phe mynegit imi'r dydd
A'r awr yr elych tua'th wlad,
Hidiwn i ddim dy hebrwng di
I des y fro lle nid oes frad.

Ac yna, wedi'r farn a fu,
I Gymru'n ôl ryw ddechrau haf,
A'th gael yn canu megis cynt
O'r llwyni dail sy' ger Llandaf.

LLOCHES (rhag y bomio)

Fan yma gynt ger porth y llan,
A chnul y gloch yn llanw'r fro,
Y collais ddeigryn hallt wrth roi
Anwyliaid imi yn y gro.

Fan yma eilwaith pan oedd haf
A'i wyrthiau maith ar lwyn a lli,
Y collais ddeigryn arall am
Na welent a'r a welwn i.

Heddiw ni fynnwn dorri ar hedd
Yr un o blant y trymgwsg hir,
Ddiddosach lloches rhag y storm
Yw cornel o'r anghofus dir.

GWYLIAU

Nid yw cloch yr ysgol fechan
Heddiw'n tincial yn y tŵr,
Nid yw'r meistr sarrug gartre,
Nid oes ddrwg am gadw stŵr.

Bobol annwyl, mae hi'n bwrw,
Ond mae pethau gwaeth na glaw,
A melysach sŵn y daran,
Na'r hen gloch pan drawo naw.

Aed y ffodus i rodianna
Ym mro Gŵyr, difyrraf man,
Mi af innau a physgota,
Dan geulennydd Afon Llan.

A phe taflwn drem ddireidus
Tua pherllan Deio'r crydd,
Wnawn i ddim byd gwaeth nag Adda
Ym Mharadwys slawer dydd.

Chwarae teg i'r Hwn a drefnodd
Fis i blant yng nghanol ha',
Rhyw un mis i fyw'n naturiol
Ac un-ar-ddeg i fyw yn dda.

SEREN YR HENDY

Pan drawodd Iôr afradus law
Mewn cawg o aur yn nechrau'r byd,
A britho'r nef â'r myrddiwn mud
O sêr sy'n dal i d'wynnu,
Y dwthwn hwn y daeth i fod
Seren yr Hendy.

Os ei fin nos pan na fo niwl
At hen dân mawn yr annedd fwyn,
Cei weld drwy huddyg brau a brwyn
O'r nen yn siriol wenu,
Seren fach y simnai fawr,
Seren yr Hendy.

Mae'n siŵr y gŵyr rhyw ddynion doeth
Y rhif a'r enw arni sy,
A'r union swydd roed iddi fry
Lle nid yw'r aur yn t'wyllu,
I mi nid yw serch hynny ond
Seren yr Hendy.

Pan ddelo nos ac ni bydd neb
A huddo dân y gornel glyd,
Y teulu bach ar led y byd
A'r gwynt heb fwg i'w chwythu,
Y dwthwn hwn y diffydd hi,
—Seren yr Hendy.

MYNEGAI